NAPOLEO

Les LOIS du SUCCÈS

TOME I

Édition révisée et adaptée
au 21ième siècle
par Ann et Bill Hartley

Édition
révisée
et adaptée

NAPOLEON HILL

Les LOIS du SUCCÈS

TOME I

Un cours pratique;
Des leçons indispensables;
Un enseignement pratique,
facile à comprendre;
Une philosophie authentique
à partir de laquelle tous les succès
personnels et professionnels sont réalisables.

L'ensemble des quatre tomes contient
les leçons 1 à 17

Édition
révisée
et adaptée

Publié par :   Performance Édition
                 1750 Boul. Jacques-Cartier Est
                 C.P. 99066
                 Longueuil, Qc
                 J4N 0A5
Téléphone :   450 445-2974
Courriel :   info@performance-edition.com
Site Web :   www.performance-edition.com

DISTRIBUTION POUR LE CANADA : Prologue inc.
                                 1650 Lionel Bertrand
                                 Boisbriand (Québec) J7H 1N7
                                 Téléphone : 450-434-0306

©2003 by the Napoleon Hill Fondation

©2012 Performance Édition – tous droits réservés

ISBN 978-2-923746-65-4 (livre)
     978-2-923746-67-8 (epub)
     978-2-923746-66-1 (epdf)

Traduction, adaptation et révision : Françoise Légaré-Blanchard

Mise en pages : Pierre Champagne infographiste

Dépôt légal 1er trimestre 2012
Dépôt légal Bibliothèque et Archives nationales du Québec, 2012
Dépôt légal Bibliothèque nationale du Canada, 2012

♲ imprimé au Canada

Dédié à

ANDREW CARNEGIE,

qui me suggéra d'écrire ce cours.

HENRY FORD,

dont les réalisations forment la
base de presque la totalité
des leçons du cours.

EDWIN C. BARNES,

un associé de Thomas A. Edison,
dont la chaleureuse amitié,
pendant une période de plus de quinze ans,
me permit de poursuivre mon oeuvre
en affrontant de nombreuses contrariétés
et de multiples échecs temporaires
rencontrés dans la planification de ce cours.

HOMMAGES À l'ŒUVRE *LES LOIS DU SUCCÈS*
De la part de grands leaders américains

Voici d'abord quelques témoignages de grands financiers, scientifiques, inventeurs et politiciens concernant la pertinence et l'impact des leçons présentées dans le volume *Les Lois du Succès*.

Cour suprême des États-Unis
Washington, D.C.

« MON CHER MONSIEUR HILL, j'ai eu la chance de lire vos leçons sur *Les Lois du Succès* et je désire vous exprimer mon appréciation pour le travail exceptionnel effectué grâce à votre approche philosophique. Il serait utile que chaque politicien américain assimile et applique les principes sur lesquels le livre *Les Lois du Succès* est basé. Il contient des faits pertinents que chaque leader, dans son milieu, devrait comprendre. »

WILLIAM H.TAFT
Ex-président des États-Unis et juge en chef de la Cour suprême

---

Laboratoire de Thomas A. Edison

« MON CHER MONSIEUR HILL, permettez-moi d'exprimer ma reconnaissance pour le plaisir que vous m'avez fait en m'envoyant le manuscrit original *Les Lois du Succès*. Je vois que vous avez mis beaucoup de temps et de réflexion dans sa préparation. Votre philosophie est authentique et je me dois de vous féliciter de vous être appliqué à ce travail pendant tellement d'années. Vos étudiants et lecteurs seront amplement récompensés de votre labeur. »

THOMAS A. EDISON

Le journal « PUBLIC LEDGER »
Philadelphie

« CHER MONSIEUR HILL, merci pour votre travail, *Les Lois du Succès*. C'est une grande œuvre dont je souhaite terminer la lecture. J'aimerais réimprimer « Ce que je ferais si j'avais un million de dollars » dans le cahier des affaires du *Public Ledger*. »

CYRUS H.K. CURTIS
Éditeur du *Saturday Evening Post, Ladies Home Journal*

---

* Au moment où ces témoignages furent écrits, Les Lois du Succès étaient basées sur quinze lois

Le roi des 5-10-15

« En appliquant plusieurs bases de la philosophie du volume *Les Lois du Succès*, nous avons construit une grande chaîne de magasins prospères. Je pense qu'il ne serait pas exagéré de dire que l'Edifice Woolworth pourrait être qualifié de monument à l'authenticité de ces principes. »

F.W. WOOLWORTH

Leader historique dans l'industrie américaine

« La maîtrise de la philosophie de votre livre *Les Lois du Succès* est l'équivalent d'une police d'assurance contre l'échec. »

SAMUEL GOMPERS

Un ancien président

« Puis-je vous féliciter de votre persévérance? Tout homme qui consacre autant de temps à un tel projet doit nécessairement faire des découvertes de grande valeur pour les autres. Je suis profondément impressionné par votre interprétation des principes du génie organisateur que vous avez décrits si clairement. »

WOODROW WILSON

Un fondateur de magasin à rayons

« Je sais que vos principes fondamentaux du succès sont valables, car je les applique dans mon entreprise depuis plus de trente ans. »

JOHN WANAMAKER

Du fondateur de Kodak

« Je sais que vous faites un bien immense avec votre philosophie *Les Lois du Succès*. Quelle que soit la somme d'argent qu'on me demanderait pour suivre un tel cours, je n'hésiterais pas à le débourser, car il développe chez l'étudiant des qualités que l'argent seul ne peut évaluer. »

GEORGE EASTMAN

Un maître confiseur

« Quel que soit le succès que j'aie pu atteindre, je le dois entièrement à l'application de vos principes fondamentaux expliqués dans *Les Lois du Succès*. Je crois que j'ai l'honneur d'être votre premier étudiant. »

WILLIAM WRIGLEY, JR

LES DIX-SEPT LEÇONS DES LIVRES *LES LOIS DU SUCCÈS*

CONTENU DES QUATRE TOMES

Tome UN

Tome DEUX

Tome TROIS

Tome QUATRE

Tout ce que vous êtes

ou deviendrez

est le résultat

de l'utilisation de votre esprit.

- Napoleon Hill

UN MOT DES ÉDITEURS ANN ET BILL HARTLEY
À PROPOS DE CETTE NOUVELLE ÉDITION RÉVISÉE

Les Lois du Succès incluent des principes-clés qui forment la base de la philosophie de Napoleon Hill qui est en lien direct avec l'accomplissement personnel.

La genèse des principes explorés dans ce livre date du jour, en 1908, lorsque Napoleon Hill a été assigné pour rédiger un article de magazine à propos du baron de l'acier et philanthrope, Andrew Carnegie. Au cours de l'entrevue, qui devait être brève, impressionné par le jeune écrivain, M. Carnegie, a volontairement allongé la session et elle est devenue un marathon de trois jours. En conclusion, M. Carnegie a offert à Napoleon Hill de lui faire rencontrer les hommes les plus puissants de l'époque afin qu'il puisse découvrir les secrets de leur succès. M. Carnegie croyait qu'en agissant ainsi, M. Hill pourrait formuler une philosophie qui pourrait être utilisée par tous ceux qui voulaient s'aider eux-mêmes à créer leur propre réussite et réaliser leurs rêves.

Tout en poursuivant sa mission, Napoleon Hill écrivit des milliers d'articles et de chroniques, a démarré son propre magazine, développé des cours à la maison, mis sur pied des centres d'entraînement et ouvert un collège dans l'enseignement des affaires – toutes ses entreprises étant inspirées de sa philosophie grandissante.

Il a également créé une série de conférences qui lui procurèrent l'occasion de se faire connaître en tant que conférencier influent sur le thème du succès et de l'accomplissement personnel. Tout en bâtissant son expérience, Napoleon Hill vérifiait et modifiait constamment ses théories jusqu'au point où elles furent synthétisées en un groupe de principes spécifiques qui, tous ensemble, contribuèrent à former la philosophie cohérente que s'était représenté Andrew Carnegie.

En 1927, tout ce qui allait devenir la première édition de *Les Lois du Succès* était finalement rassemblé. Alors, ce qui semble avoir été un concept de marketing des plus brillants, son éditeur choisit de publier ses écrits non pas en un seul volume, mais en huit tomes. La collection entière a été un succès immédiat et spectaculaire.

Dans sa première édition, le livre *Les Lois du Succès* présentait quinze principes. Dans des éditions futures, le nombre a été augmenté à seize. M. Hill en vint à croire que le génie organisateur qui ne faisait alors partie que de l'introduction de la première édition, était en fait un principe par lui-même. Plus tard, il conclut qu'il existait un autre principe-clé qui se fusionnait aux autres et qui devint le dix-septième. Une fois ce nouveau principe reconnu, il le qualifia *de force cosmique des habitudes*. Au début de ce travail avec W. Clement Stone, il en parlait en le qualifiant de *loi universelle*. Au cours de toutes les années passées, il a existé au moins cinq éditions autorisées dans lesquelles il y eut des révisions et des modifications et, sous des formes différentes, le livre a tout de même été réimprimé plus de cinquante fois. Cette nouvelle version révisée et adaptée au vingt-et-unième siècle est la toute première réunissant les dix-sept principes.

Durant la préparation de cette nouvelle édition de *Les Lois du Succès*, nous avons tenté de rendre l'auteur Napoleon Hill aussi contemporain que possible, comme s'il était encore parmi nous. Le texte a été considéré comme s'il était un auteur vivant. Nous avons opté pour une utilisation contemporaine de la grammaire sans tenir compte de la formulation qui aurait pu sembler moins moderne. Si certaines formes grammaticales étaient obscures, nous lui avons apporté des modifications mineures.

La façon de mettre à jour le contenu du livre consistait en un défi très stimulant. En révisant avec attention le texte original, il devint évident que la réponse n'était pas de simplement remplacer les exemples cités par M. Hill par des histoires similaires de notre monde moderne.

Nous avons réalisé que les anecdotes et les exemples utilisés par M. Hill étaient tellement solidaires quant à la perspective qu'il voulait évoquer ou au principe dont il discutait, que pour les remplacer juste pour le plaisir d'utiliser un nom plus contemporain n'améliorerait en rien la qualité de son message. Nous avons donc conclu que le meilleur cours était plutôt d'ajouter des histoires additionnelles qui confirmeraient que *Les Lois du Succès* est une philosophie vivante. Les exemples supplémentaires ont été judicieusement insérés en tant que rappels que les principes sur lesquels s'appuient *Les Lois du Succès* étaient pertinents lorsque le premier livre a été publié en 1928.

Ils s'appliquaient encore soixante-quinze ans plus tard en 2003 et, sans aucun doute, continueront d'être évidents et applicables pour au moins les soixante-quinze *prochaines* années.

En plus d'exemples contemporains, là où nous pensions que les lecteurs seraient intéressés, nous avons aussi ajouté des commentaires en marge qui procurent de l'information additionnelle, quant au passé, au contexte historique et, lorsque nécessaire, avons suggéré des livres qui complémentent les divers aspects de la philosophie de Napoleon Hill. Tous les commentaires en marge sont facilement repérables.

En lisant cette édition de *Les Lois du Succès*, vous remarquerez que sont répétés dans d'autres chapitres certains commentaires et références qui apparaissent au début du livre. Ceci est bien intentionnel. Lorsque cette édition révisée et adaptée a été initialement publiée en 2003 en quatre tomes différents avec reliure de cuir pour les collectionneurs, les commentaires étaient inclus, lorsque nécessaires, dans chaque livre, et cela, au bénéfice des lecteurs qui n'ont peut-être pas lus consécutivement les quatre tomes.

Durant toute la préparation de cette édition révisée, nous avons apprécié la coopération de la Fondation Napoleon Hill ainsi que du Centre d'apprentissage Napoleon Hill. Grâce à leur assistance, nous avons pu nous inspirer des éditions passées aussi bien que d'autre matériel déjà écrit par Napoleon Hill, et cela, dans le but d'incorporer l'évolution finale de sa philosophie et par laquelle présenter l'édition la plus compréhensible qui soit de *Les Lois du Succès*.

Bonne lecture!

UN MOT DE L'AUTEUR
provenant de l'édition 1928

Il y a plusieurs années, un jeune ecclésiastique, nommé Gunsaulus, annonça dans les journaux de Chicago qu'il ferait, le dimanche suivant, un sermon intitulé :

« CE QUE JE FERAIS
AVEC UN MILLION DE DOLLARS! »

L'annonce capta l'attention de Philip D. Armour, le puissant roi de l'emballage, qui décida d'aller écouter ce que ce pasteur avait à dire. Ce dernier décrivit une grande école de technologie où les jeunes apprendraient à réussir dans la vie en développant leur aptitude à PENSER d'une façon pratique plutôt qu'en termes théoriques. On leur enseignerait à apprendre par l'expérimentation. « Si j'avais un million de dollars, dit le jeune prêcheur, je fonderais une telle école. »

Quand le sermon fut terminé, monsieur Armour se rendit à la chaire, se présenta et dit au jeune pasteur : « Je crois que vous pourrez faire tout ce dont vous avez parlé. Si vous voulez vous présenter à mon bureau demain matin, je vous donnerai le million de dollars dont vous avez besoin. » Il y a toujours des capitaux disponibles pour ceux qui peuvent concevoir des plans pratiques pour les utiliser.

C'est ainsi qu'est née l'*Armour Institute of Technology*, l'une des écoles de technologie les plus pragmatiques du pays. Elle avait été conçue dans l'imagination d'un jeune homme dont on n'aurait jamais entendu parler hors de la communauté où il prêchait, n'eut été de son imagination, alliée au capital de Philip D. Armour. Chaque grand projet, institution financière d'importance, entreprise d'envergure et grande invention nait d'abord dans l'imagination de quelqu'un.

F.W. Woolworth conçut le plan des magasins 5-10-15 dans son imagination avant d'en faire une réalité qui le rendit multimillionnaire.

Thomas A. Edison imagina le phonographe, l'appareil à dessins animés, l'ampoule électrique incandescente et une multitude d'autres inventions utiles avant qu'elles ne deviennent des réalités.

Pendant l'incendie de la ville de Chicago, plusieurs commerçants, dont les magasins avaient été détruits, décidèrent de s'établir dans d'autres villes pour tout recommencer. Sauf Marshall Field qui imagina, sur le même site que son ancien magasin devenu amas de poutres fumantes, le plus grand magasin de détail au monde, rêve qui se concrétisa.

Heureux l'individu qui apprend, tôt dans sa vie, à utiliser son imagination, car c'est à ce moment que les plus grandes possibilités lui sont offertes. L'imagination est une faculté de l'esprit qui peut être cultivée, développée et déployée quand on la stimule. Si tel n'était pas le cas, ce cours sur Les Lois du Succès n'aurait jamais vu le jour, car il fut d'abord conçu dans mon imagination, à partir de la simple semence d'une idée qui germa suite à une remarque fortuite de monsieur Andrew Carnegie.

Qui que vous soyez et quelle que soit votre occupation, vous pouvez augmenter votre efficacité et votre productivité en développant et en activant votre imagination. Le succès en ce monde réside toujours dans l'effort individuel qui est fourni, mais vous vous trompez si vous croyez pouvoir réussir sans la collaboration d'autrui. Il ne s'agit d'un effort individuel que dans la mesure où chaque individu doit décider de ce qu'il veut. Cette démarche nécessite néanmoins la contribution de l'imagination. À partir de là, la réussite ne dépend plus que de l'habileté à inviter d'autres personnes à coopérer.

Avant de pouvoir vous assurer la coopération des autres, avant même d'oser espérer leur collaboration, vous devez d'abord montrer vous-même une volonté de coopérer. C'est pour cette raison que la neuvième leçon de ce cours, *L'HABITUDE DE FAIRE PLUS QUE LE SALAIRE PERÇU*, recèle un contenu qui devrait vous faire réfléchir sérieusement. La loi sur laquelle repose cette leçon devrait assurer le succès à tous ceux qui la mettent en pratique en tout temps.

Dans les dernières pages de cette introduction, vous remarquerez un tableau d'observations personnelles dans lequel neuf personnes connues ont été analysées: huit ont été prospères, alors que deux ont plutôt été considérées comme étant des perdants. Soyez attentif aux motifs qui ont conduit ces deux personnes à vivre des échecs.

Par la suite, analysez-vous. Dans les deux colonnes laissées libres, accordez-vous, avant le début de votre lecture, une note pour chacune des lois du succès énoncées aux pages 20 et 21. Après avoir complété votre lecture, évaluez-vous de nouveau et observez les progrès réalisés.

Le but du cours, *Les Lois du Succès*, est de vous permettre de trouver la façon de devenir plus compétent dans le champ d'action que vous avez choisi. Cette analyse est nécessaire afin de pouvoir classifier vos qualités et vos aptitudes. Vous pourrez ainsi les canaliser pour en maximiser la puissance et l'efficacité.

Peut-être n'appréciez-vous pas le travail que vous faites actuellement? Il y a deux façons de vous en sortir. La première consiste à ne pas trop vous investir et à ne faire que le minimum, juste ce qu'il faut pour vous en tirer. Ce sera vite fait, car on vous licenciera rapidement! L'autre façon, la meilleure, c'est de vous rendre tellement utile et efficace, que vous attirerez l'attention de vos supérieurs qui vous proposeront une promotion pour un travail plus responsable qui vous plaira. C'est votre privilège de faire le choix quant à la façon dont vous y arriverez. Encore une fois, je vous rappelle l'importance de la leçon neuf qui favorisera le choix du meilleur chemin pour avancer.

Des milliers de personnes passèrent sur la grande mine de cuivre Calumet sans la découvrir. Un seul homme utilisa son imagination, creusa le sol de quelques mètres, l'analysa et découvrit le dépôt de cuivre le plus riche du monde. Parfois, il vous arrive de marcher sur *votre* mine Calumet. Sa découverte est une affaire de recherche et d'imagination.

Ce cours *Les Lois du Succès* peut vous guider vers votre mine Calumet et vous serez surpris de constater que vous vous teniez juste au-dessus, dans votre travail actuel.

Dans sa conférence intitulée *La fortune à votre portée,* Russell Conwell affirme que nous n'avons pas besoin de chercher la bonne occasion très loin, que nous pouvons la trouver sous nos pieds! Il s'agit d'UNE VÉRITÉ DONT IL FAUT SE RAPPELER!

NAPOLEON HILL
Auteur de *Les Lois du Succès*

REMERCIEMENTS DE L'AUTEUR POUR L'AIDE REÇUE LORS DE L'ÉCRITURE DE CE COURS

Ce cours est le résultat d'une analyse minutieuse des réalisations de plus de cent hommes et femmes qui ont atteint un succès inhabituel dans leur profession respective.

J'ai mis plus de vingt ans à analyser, classifier, tester et assembler les lois sur lesquelles le cours est basé. Pour la conception et l'aboutissement de ce travail, j'ai reçu une aide précieuse, soit par la rencontre personnelle ou l'étude des réalisations des personnages suivants:

Henry Ford	Edward Bok
Thomas A. Edison	Cyrus H.K. Curtis
Harvey S. Firestone	George W. Perkins
John D. Rockefeller	Henry L. Doherty
Charles M. Schwab	George S. Parker
Woodrow Wilson	Le docteur C.O. Henry
Darwin P. Kingsley	Le général Rufus A. Ayers
William Wrigley, Jr	Le juge Elbert H. Gary
Albert D. Lasker	William Howard Taft
Edward Albert Filene	Le docteur Elmer Gates
James J. Hill	John W. Davis
Le capitaine George M. Alexander (de qui je fus l'assistant)	Samuel Gompers
	Frank W. Woolworth
Hugh Chalmers	Le juge Daniel T. Wright (l'un de mes professeurs de loi)
Le docteur E.W. Strickler	
Edwin C. Barnes	Elbert Hubbard
Robert L. Taylor (Fiddling Bob)	Luther Burbank
	O.H. Harriman
George Eastman	John Burroughs

Ellsworth Milton Statler

Andrew Carnegie

John Wanamaker

Marshall Field

Le docteur Alexander Graham Bell
(à qui je donne crédit de la plus
grande partie de la Leçon 1).

Edward Henry Harriman

Charles P. Steinmetz

Frank Vanderlip

Theodore Roosevelt

Général William H. French

De tous ces gens, Henry Ford et Andrew Carnegie sont les deux hommes ayant le plus contribué à l'élaboration de ce cours : Andrew Carnegie, pour avoir été le premier à semer en moi l'idée de cette rédaction et Henry Ford, dont les réalisations m'ont fourni une bonne partie de la matière à partir de laquelle le cours fut développé.

Je tiens à exprimer ma reconnaissance à tous ces hommes pour les services rendus, car sans eux, ce cours n'aurait jamais existé. Des rencontres personnelles avec la majorité d'entre eux m'ont permis de recueillir des propos reliés à leur philosophie. Les côtoyer personnellement pour élaborer ce cours sur *Les Lois du Succès* constitue à lui seul une rémunération suffisante pour le travail accompli. Ces hommes ont été la colonne vertébrale, la fondation et la charpente de la politique, de la finance, de l'industrie et du monde des affaires des États-Unis.

Le cours, *Les Lois du Succès,* est un résumé de la philosophie et des règles de procédure qui amenèrent ces hommes puissants à exceller dans le domaine qu'ils avaient choisi pour déployer leurs efforts. Mon intention était de présenter ce cours dans un langage clair et simple pour qu'il puisse être accessible et maîtrisé par de très jeunes hommes et femmes toujours aux études.

À l'exception de la loi psychologique énoncée à la première leçon et décrite sous l'appellation de « génie organisateur », je ne prétends pas avoir créé quoi que ce soit de fondamentalement nouveau dans ce cours. J'ai, cependant, le bénéfice d'avoir regroupé d'anciennes vérités et des lois connues sous une forme pratique, pour qu'elles puissent être correctement interprétées et appliquées par la personne moyenne dont les besoins exigent une philosophie simple.

En passant en revue les mérites du livre *Les Lois du Succès*, le juge Elbert H. Gary dit: « Deux points saillants reliés à cette philosophie m'impressionnent le plus. Le premier, c'est la simplicité de sa présentation et le second, c'est le fait que sa précision est tellement évidente qu'elle sera acceptée immédiatement. »

Je tiens à vous prévenir d'éviter d'émettre un jugement avant d'avoir lu l'ensemble des leçons. Ceci s'applique spécialement à cette introduction dans laquelle il a été nécessaire d'inclure de brèves références concernant des sujets de nature plus ou moins technique et scientifique dont la raison vous paraîtra évidente après la lecture des leçons. En amorçant cette lecture ayant l'esprit ouvert et gardant cette attitude jusqu'à la dernière leçon, vous serez abondamment récompensé par une vison plus large et plus fidèle de la vie.

Napoleon Hill

EXERCICE DE COMPARAISON

LES 17 LOIS DU SUCCÈS	Henry Ford	Benjamin Franklin	George Washington	Abraham Lincoln
1. Le génie organisateur/cerveau collectif	100	100	100	100
2. Un but clairement défini	100	100	100	100
3. La confiance en soi	100	90	80	75
4. L'habitude de l'épargne	100	100	75	20
5. L'initiative et les qualités de leadership	100	60	100	60
6. L'imagination	90	90	80	70
7. L'enthousiasme	75	80	90	60
8. La maîtrise de soi	100	90	50	95
9. L'habitude de faire plus que le salaire perçu	100	100	100	100
10. Une personnalité agréable	50	90	80	80
11. Penser avec exactitude	90	80	75	90
12. La concentration	100	100	100	100
13. La coopération	75	100	100	90
14. Tirer une leçon des échecs	100	90	75	80
15. La tolérance	90	100	80	100
16. La pratique de la Règle d'Or	100	100	100	100
17. La loi universelle de la force cosmique des habitudes	70	100	100	100
MOYENNE	91	92	86	84

Les neuf personnes analysées sur ce tableau ont été bien connues à travers le monde. Sept ont réussi alors que deux ont échoué. Les défaites sont associées à Jesse James et Napoléon Bonaparte. Ils ont été analysés pour le bénéfice de la comparaison. Si vous observez attentivement là où ils ont obtenu la note zéro, vous saurez pourquoi ils ont échoué. **Une évaluation de zéro attribuée à l'une de ces *lois du succès* est suffisante pour causer un fiasco, même si toutes les autres évaluations sont élevées.**

Napoléon Bonaparte	Helen Keller	Eleonor Roosevelt	Bill Gates	Jesse James	Classez-vous dans ces deux colonnes, avant et après avoir complété le cours *Les Lois du Succès*.	
					AVANT	**APRÈS**
100	100	80	100	100		
100	100	100	100	0		
100	90	80	80	75		
40	75	80	100	0		
100	90	90	90	90		
90	70	80	80	60		
80	70	70	60	80		
40	85	90	100	50		
100	100	100	100	0		
100	95	80	70	50		
90	75	80	100	20		
100	100	80	100	75		
50	100	90	100	50		
40	100	90	90	0		
10	100	100	90	0		
0	100	100	75	0		
0	100	100	75	0		
67	91	88	89	38		

Notez que toutes les personnes qui ont réussi ont obtenu une note de 100% **lorsque** leur but était clairement défini. C'est un prérequis essentiel pour atteindre le succès. Si vous voulez effectuer une expérience intéressante, remplacez les neuf noms connus par les noms de neuf personnes que vous connaissez, dont cinq ayant connu des succès et quatre des échecs, puis évaluez-les. Quand vous aurez terminé, avant de lire le reste du livre, procédez à faire **votre** évaluation personnelle dans la première colonne. Assurez-vous de vraiment savoir où se situent vos faiblesses.

Le temps est un

maître d'oeuvre

qui guérit les blessures

causées par la défaite temporaire,

nivèle les inégalités

et redresse les injustices du monde.

Il n'y a rien

d'« impossible »

avec le temps!

LEÇON 1

INTRODUCTION
AU GÉNIE ORGANISATEUR
ou CERVEAU COLLECTIF

« Vous pouvez le faire, si vous y croyez. »

Ce livre est un cours sur les principes essentiels du succès. Le succès est, avant toute chose, une question d'ajustement de la personnalité qui devra sans cesse affronter des milieux différents et changeants tout en essayant de maintenir un esprit d'harmonie et d'équilibre. Cette harmonie est basée sur la compréhension des forces constituant l'environnement d'un individu. Ce cours se veut donc une *carte routière* pouvant être suivie pour mener directement au succès, car elle vous aidera à interpréter, comprendre et maximiser ces forces déterminées par les circonstances de la vie.

Avant d'amorcer la lecture du livre *Les Lois du Succès*, vous devriez connaître son histoire. Vous devriez savoir exactement ce que promet ce cours à ceux qui le suivent jusqu'à ce qu'ils aient *assimilé* les lois et principes sur lesquels il est établi. Vous devriez aussi connaître ses limites autant que ses possibilités et le considérer comme une aide dans votre lutte pour trouver votre place dans le monde.

Du point de vue divertissement, mon cours *Les Lois du Succès* n'obtiendrait qu'une piètre deuxième place comparé à la plupart des mensuels attrayants qui pullulent dans les kiosques.

COMMENTAIRE

Il a été dit que Napoleon Hill et sa philosophie sur le succès ont rendu plus de gens millionnaires que n'importe quelle autre personne dans l'Histoire. Il peut également être dit que Napoleon Hill a inspiré plus d'experts en motivation que toute autre personne. Napoleon Hill était, et plus de trente ans après son décès, continue d'être l'auteur en motivation le plus influent de l'Amérique. Cette évidence est partiellement due au fait qu'il était à l'avant-garde de l'ère des communications telles qu'on les connaît aujourd'hui, et elle est due en plus grande partie à la diligence qu'il a appliquée aux recherches à partir desquelles il a établi ses dix-sept principes inclus dans Les Lois du Succès.

Il est pratiquement impossible de ne pas trouver un conférencier qui n'utilise pas quelque extrait de l'œuvre de monsieur Hill. Son influence peut être reconnue dans les écrits de ses pairs dont Dale Carnegie *et* Norman Vincent Peale. *Plus tard, plusieurs auteurs et conférenciers renommés tels que* W. Clement Stone, Og Mandino, Earl Nightingale *et l'auteur des livres Bouillon de poulet pour l'âme,* Mark Victor Hansen, *ont travaillé directement soit avec Napoleon Hill lui-même ou la Fondation Napoleon Hill. Les principes de M. Hill peuvent être trouvés dans des livres d'auteurs aussi diversifiés que* Jose Silva, Mary Kay Ash, Dr. Maxwell Maltz, Shakti Gawain, Wally ''Famous'' Amos *et* Dr. Bernie Siegel. Anthony Robbins, *sans aucun doute le conférencier le plus populaire de nos temps modernes, a souvent cité Napoleon Hill comme étant son inspiration et on peut retrouver dans le livre Les 7 habitudes des gens efficaces de l'auteur à succès* Stephen R. Covey, *les dix-sept principes au sujet desquels Monsieur Hill a écrit il y a maintenant plus de soixante-dix ans.*

UNE RÉVISION

Ce cours a été créé pour toute personne sérieuse qui veut dédier une partie de son temps à réussir dans la vie.

Je n'ai pas tenté de compétitionner avec ceux qui écrivent dans le seul but de divertir. Lors de sa préparation, je visais un double objectif: d'abord vous aider à trouver vos faiblesses, puis vous permettre de concevoir un *plan clairement défini* pour combler vos lacunes.

Les hommes et les femmes les plus prospères ont dû corriger certains points faibles de leur personnalité avant de connaître la réussite. Les faiblesses les plus courantes qui entravent le succès autant chez les femmes que les hommes sont: l'*INTOLÉRANCE, le DOUTE, la VENGEANCE, l'ÉGOÏSME, la SUFFISANCE, la TENDANCE À RÉCOLTER LÀ OÙ ILS N'ONT PAS SEMÉ, et l'HABITUDE DE DÉPENSER PLUS QU'ILS N'ONT GAGNÉ.*

Tous ces ennemis communs de l'humanité, et beaucoup d'autres encore, sont couverts par *Les Lois du Succès* de telle sorte que toute personne d'intelligence moyenne peut les maîtriser avec un minimum d'efforts ou d'inconvénients.

Vous devriez savoir, d'entrée de jeu, que ce cours a depuis longtemps dépassé le stade expérimental : il porte déjà à son crédit un dossier de réalisations digne de réflexions et d'analyses sérieuses. Vous devriez savoir, également, qu'il a été examiné et approuvé par certains des esprits les plus pragmatiques de cette génération.

LES CONFÉRENCES *LES LOIS DU SUCCÈS*

J'ai d'abord utilisé ce cours pendant quelques années pour donner des conférences à travers le pays. À ce moment-là, j'avais des assistants dans l'auditoire, chargés d'interpréter les réactions des gens, ce qui me permit de mieux mesurer mes analyses en vue d'y apporter des changements.

Je remportai ma première grande victoire quand j'utilisai ma conférence comme base d'un cours pour entraîner trois mille hommes et femmes inexpérimentés dans le domaine de la vente. Grâce à cet entraînement, échelonné sur une période d'environ six mois, ils réussirent à gagner plus d'un million de dollars et rétribuèrent mes services pour un montant de trente mille dollars. Les individus et les petits groupes de vendeurs qui atteignirent le succès grâce à ce cours sont trop nombreux pour être énumérés, mais leur nombre est éloquent et les bénéfices encourus, extrêmement concluants.

La philosophie *Les Lois du Succès* fut portée à l'attention de monsieur Don R. Mellett, l'ancien éditeur du *Canton* (Ohio) *Daily News*, qui s'associa avec moi. Il se préparait à donner sa démission comme éditeur du journal et à prendre en main la gestion de mes affaires quand il fut assassiné, le 16 juillet 1926.

Avant sa mort, monsieur Mellett avait conclu des arrangements avec le juge Elbert H. Gary, alors président du conseil d'administration de la *United States Steel Corporation*, pour présenter mon cours à chaque employé de la compagnie, pour un coût total d'environ 150 000 dollars. Ce projet ne vit pas le jour à cause de la mort du juge Gary, mais l'énorme somme qu'il avait voulu investir démontrait l'intérêt et la foi qu'il avait mis dans la pertinence et la justesse de ce cours.

LA TERMINOLOGIE

Cette introduction présente quelques termes techniques qui peuvent peut-être vous rebuter au départ, mais ne vous en formalisez pas, car ils s'éclaiciront au fur et à mesure de votre lecture. Cette introduction ne vise qu'à vous fournir un arrière-plan pour les seize autres leçons à venir. Vous devriez la lire plusieurs fois, car chaque lecture en approfondira la compréhension.

Vous y trouverez une description de la nouvelle loi de la psychologie qui constitue la véritable base de toutes les réalisations personnelles qui sortent de l'ordinaire. Je considère cette loi comme le génie organisateur, c'est-à-dire l'esprit qui se développe à travers la coopération harmonieuse de deux personnes ou plus qui s'associent dans le but d'accomplir un travail donné.

Si vous êtes dans la vente, vous pouvez tirer profit de cette loi du génie organisateur dans votre travail quotidien. L'expérience a démontré qu'un groupe de six ou sept vendeurs peut utiliser la loi si efficacement que leurs ventes peuvent croître considérablement.

Aussi paradoxal que cela puisse sembler, l'assurance-vie est le produit le plus difficile à vendre. Pourtant, un petit groupe d'hommes au service de la compagnie d'assurance *La Prudentielle d'Amérique*, dont les ventes sont généralement composées de petites polices, forma un groupe informel dans le but d'expérimenter la loi du génie organisateur: il en résulta une augmentation des ventes pour chaque membre du groupe équivalant au triple du rendement habituel.

Ce qu'un petit groupe de vendeurs d'assurance-vie intelligents a réussi à faire en appliquant la loi du génie organisateur n'est rien comparé à ce qu'une personne plus optimiste et inventive pourrait réaliser. Cela peut aussi bien s'appliquer à d'autres groupes de vendeurs engagés dans la vente de marchandises ou autres services plus tangibles que l'assurance-vie. Il est probable que ce premier chapitre puisse déjà vous donner assez de compréhension des lois du succès pour changer le cours de votre vie.

COMMENTAIRE

En lisant ces pages, vous rencontrerez occasionnellement un terme tel que « génie organisateur ou cerveau collectif » qui a, au cours des années, depuis que Napoleon Hill a créé ce terme, pris une connotation qui ne reflétait pas son intention. Il a initialement publié son œuvre en 1928, à une époque où Freud et Jung développaient encore une étude sur la psychologie humaine et la terminologie de M. Hill n'était pas communément utilisée. La définition psychologique maintenant acceptée qui se rapproche le plus de la pensée de ce que signifiait le terme « génie organisateur » créé par Napoleon Hill était une théorie que Jung appelait, l'inconscience collective. Mais ce que M. Hill décrivait allait bien au-delà de la théorie de Jung. Elle incluait d'autres concepts telles que les techniques de Edward de Bono sur la pensée latérale et le brainstorming, et plusieurs autres idées derrière la gestion moderne de tous les mots à la mode tels que « cercle de qualité », « synergie » et « sortir de la boîte ».

Le terme « génie organisateur » peut sembler vieillot aux lecteurs modernes mais, si on tient compte de tous les mots accrocheurs qui font maintenant partie du vocabulaire quotidien, il n'y a aucun autre terme qui englobe tout ce que M. Hill avait en tête.

LES PERSONNALITÉS

Ce sont les personnes oeuvrant derrière une entreprise commerciale qui déterminent la mesure du succès dont elle jouira.

Bonifiez leurs personnalités afin de les rendre plus attirantes pour la clientèle et le commerce sera encore plus prospère. Vous pouvez acheter une même marchandise à un prix comparable dans plusieurs magasins; cependant, il y en aura toujours un qui fait de meilleures affaires que les autres en raison de son excellente gestion des personnes qui viennent en contact avec la clientèle. Les gens achètent autant, voire plus, la qualité du contact que la marchandise.

COMMENTAIRE

Il n'y a aucun doute que Monsieur Hill a été prophète quant à l'élaboration de son œuvre car la description qu'il a faite à propos de l'importance de la personnalité d'une personne et du service qu'elle peut offrir étaient précurseurs de l'industrie du service qui, à la fin du vingtième siècle, a dominé l'économie.

LE SERVICE

L'assurance-vie a été tellement confinée à une base technique que le coût d'une protection ne varie pas beaucoup d'une compagnie à une autre; pourtant, parmi les centaines de compagnies à offrir le même produit, elles sont tout au plus une douzaine à détenir le monopole des affaires. Il en est ainsi à cause de la personnalité des vendeurs : 99% des gens achètent une police d'assurance sans se préoccuper de ce qu'elle contient. Ce qu'ils achètent réellement, c'est la personnalité aimable d'un homme ou d'une femme qui connaît la valeur de cultiver un tel contact.

Votre but dans la vie, ou du moins une part importante, est d'atteindre le succès. Le succès, tel que défini grâce aux lois du succès, c'est « d'atteindre votre *but clairement défini* sans violer les droits des autres ». Peu importe ce qu'est votre but, vous l'atteindrez plus facilement lorsque vous aurez appris à cultiver une personnalité sympathique, ainsi que l'art délicat de collaborer avec les autres dans une entreprise donnée, et cela, sans désaccord ni jalousie.

L'un des plus grands problèmes de la vie, sinon le plus grand, est celui d'apprendre l'art de la négociation harmonieuse. Ce cours fut créé dans le but d'enseigner aux gens comment progresser dans l'équilibre et l'harmonie, libres des effets destructeurs des désaccords qui mettent, chaque année, des millions de personnes dans la misère, le besoin et la faillite.

> **« Aucune personne n'a la possibilité de jouir d'un succès permanent tant qu'elle n'a pas vu, dans un miroir, la cause réelle de toutes ses fautes. »**
>
> *- Napoleon Hill*

Grâce à l'énoncé de l'objectif du cours, vous pourrez aborder les leçons suivantes avec le sentiment qu'une transformation complète est sur le point de se manifester dans votre personnalité. Vous ne pouvez jouir d'un succès marquant dans la vie sans la puissance et vous ne pouvez jamais profiter de la puissance sans une personnalité assez forte pour influencer les autres à coopérer avec vous dans un *esprit d'harmonie*. Chaque étape de ce cours vous indiquera comment développer une telle personnalité.

Cette leçon vous montrera comment supprimer définitivement le manque d'ambition et diriger votre coeur et votre esprit à vous concentrer sur un objectif bien précis.

TOME 1

1. **LE CERVEAU COLLECTIF** vous aidera à comprendre les lois physique et psychologique dont se composent ces leçons.

2. **UN BUT CLAIREMENT DÉFINI** vous enseignera de quelle façon aller droit au but dans la recherche de l'oeuvre de votre vie, et cela, afin d'éviter une perte d'énergie trop souvent dépensée inutilement par la plupart des gens. Cette leçon vous montrera comment supprimer définitivement le manque d'ambition et fixer votre coeur et votre esprit à se concentrer sur un objectif bien précis.

3. **LA CONFIANCE EN SOI** vous aidera à maîtriser les six peurs fonda-mentales dont chaque personne est affligée - la peur de la pauvreté, de la maladie, du vieillissement, de la critique, de l'abandon et de la mort. Elle vous enseignera la différence entre l'égocentrisme et la réelle confiance en soi qui est basée sur une connaissance déterminée et pratique.

4. **L'HABITUDE DE L'ÉPARGNE** vous enseignera comment répartir votre revenu selon un système simple et facile à suivre, de telle sorte qu'un pourcentage fixe de vos gains sera régulièrement accumulé, formant ainsi l'une des plus grandes sources connues de puissance personnelle. Vous ne pouvez réussir dans la vie sans épargner, il n'y a aucune exception à cette règle.

TOME 2

5. **L'INITIATIVE ET LES QUALITÉS DE LEADERSHIP** vous enseigneront comment devenir un leader plutôt qu'un spectateur dans le champ d'action que vous avez choisi. Cela développera en vous l'instinct de chef qui vous hissera graduellement au sommet de toutes les entreprises où vous travaillerez.

6. **L'IMAGINATION** stimulera votre intelligence de telle sorte que vous concevrez de nouvelles idées vous permettant de développer des projets qui vous aideront à atteindre votre objectif prédéterminé. Cette leçon vous enseignera comment construire de nouvelles maisons avec de vieilles pierres, si je peux m'exprimer ainsi. Elle vous indiquera comment innover à partir d'anciens concepts et comment les réactiver vers de nouveaux usages. Cette leçon constitue à elle seule l'équivalent d'un cours de vente pratique et s'avérera une véritable mine d'or de connaissances, et cela, si vous vous y mettez sérieusement.

7. **L'ENTHOUSIASME** vous rendra habile à convaincre quiconque s'intéresse à vos idées. C'est la base d'une personnalité agréable et c'est ce qui est nécessaire pour inciter les autres à coopérer avec vous.

8. **LA MAÎTRISE DE SOI** est le « balancier » vous permettant de contrôler votre enthousiasme et de le diriger où vous le désirez. Cette leçon vous enseignera la manière la plus efficace pour devenir « le maître de votre destin, le capitaine de votre âme ».

TOME 3

9. **L'HABITUDE DE FAIRE PLUS QUE QUE LE SALAIRE PERÇU** est l'une des leçons les plus importantes du cours *Les Lois du Succès*. Elle vous enseignera comment tirer profit de la loi des gains, qui vous assurera, éventuellement, un retour financier supérieur au service rendu. Quel que soit le milieu de vie, personne ne peut devenir un véritable leader

sans pratiquer l'art de faire davantage et mieux que la rémunération reçue.

10. **UNE PERSONNALITÉ AGRÉABLE** est le pivot sur lequel vous devez fixer le « levier » de vos efforts. Ainsi placé intelligemment, il vous permettra d'écarter nombre d'obstacles. Cette seule leçon a formé de nombreux vendeurs qui sont passés maîtres dans leur art. Elle a développé des leaders du jour au lendemain. Elle vous enseignera à transformer votre personnalité en vue de vous adapter à n'importe quel milieu ou à n'importe quelle autre personnalité de telle façon que vous arriverez à dominer facilement toutes les situations.

11. **PENSER AVEC EXACTITUDE** est l'une des pierres angulaires les plus importantes de tout succès durable. Cette leçon vous enseignera comment séparer un « fait » d'une simple « information ». Elle vous indiquera comment organiser des faits connus en deux classes: les faits importants et les faits secondaires. Elle vous montrera à déterminer en quoi consiste un fait « important » et à construire un plan de travail précis à partir des faits, et cela, quel que soit le métier convoité.

12. **LA CONCENTRATION** vous montrera comment faire converger votre attention sur un seul sujet à la fois jusqu'à ce que vous ayez conçu des plans pratiques pour le maîtriser. Elle vous enseignera comment collaborer avec autrui afin qu'ils vous communiquent leurs connaissances et ainsi vous appuyer dans vos projets. Elle vous donnera une connaissance pratique et efficace des forces présentes dans votre entourage et vous montrera comment les exploiter et les utiliser pour servir vos intérêts.

TOME 4

13. **LA COOPÉRATION** vous enseignera la valeur du travail d'équipe dans tous vos projets. Elle vous apprendra comment appliquer la loi du génie organisateur décrite dans l'introduction et dans la première leçon de ce cours. Elle précisera la façon de coordonner vos efforts et ceux des autres afin d'éliminer les désaccords, la jalousie, la dissension, l'envie et la cupidité. Vous apprendrez ainsi comment utiliser les connaissances de vos collaborateurs concernant le travail dans lequel vous êtes engagé.

14. **TIRER UNE LEÇON DES ÉCHECS** vous enseignera comment utiliser vos fautes et vos défaites passées comme un tremplin. Vous verrez la différence importante entre un « échec » et un « insuccès momentané ». Vous apprendrez à tirer avantage de vos propres insuccès ainsi que de ceux d'autrui.

15. **LA TOLÉRANCE** vous enseignera comment éviter les effets désastreux des préjugés raciaux et religieux qui entraînent tant de gens dans de folles controverses, empoisonnant leur esprit et obstruant leur jugement et leur questionnement. Cette leçon est la jumelle de celle qui traite de la pensée exacte, car personne ne peut avoir une pensée juste sans pratiquer la tolérance. L'intolérance ferme le livre de la connaissance et inscrit en guise de titre: « Fin! Je sais tout! » L'intolérance rend ennemis ceux qui devraient être amis. Elle détruit les opportunités en imprégnant l'esprit de doute, de méfiance et de préjugés.

16. **LA PRATIQUE DE LA RÈGLE D'OR** vous précisera comment faire usage de la grande loi universelle du comportement humain de sorte que vous pourrez facilement obtenir la collaboration harmonieuse de votre entourage. L'incompréhension de la loi sur laquelle se fonde la philosophie de la règle d'or est l'une des causes principales qui maintient des millions de gens dans la misère, la pauvreté et le besoin. Cette leçon, ni aucune autre dans ce livre, ne s'appuie sur aucun dogme religieux ou sectaire.

17. **LA LOI UNIVERSELLE DE LA FORCE COSMIQUE DES HABITUDES.** La dernière leçon, vous démontrera la façon d'utiliser les principes des seize premières leçons pour tranformer pas seulement vos pensés, mais aussi vos habitudes. Les changements qui seront occasionnés dans votre comportement vous placeront en harmonie totale avec votre environnement. Le succès est le réssultat de la réalisation d'une telle harmonie.

Lorsque vous aurez maîtrisé ces lois et que vous les aurez intégrées dans votre vie, à l'intérieur d'une période de quinze à trente semaines, vous serez prêt à développer une puissance personnelle suffisante pour être assuré d'atteindre votre *but clairement défini*.

L'objectif de ces dix-sept lois est de vous aider à développer et à combiner les connaissances que vous possédez déjà, ainsi que celles que vous acquerrez, afin de pouvoir les transformer en *puissance*.

Vous auriez intérêt a lire ce livre avec un carnet de notes et un stylo à portée de main, afin de noter les idées qui jailliront immanquablement au fil de votre lecture. Elles vous inspireront à propos de méthodes et de moyens à prendre concernant l'utilisation de ces lois pour servir vos intérêts.

Vous devriez également partager la connaissance de ces lois avec ceux qui vous sont chers, ce qui renforcera votre compréhension du sujet en plus de leur rendre service. Un parent peut fixer ces lois de façon si indélibile dans l'esprit de ses enfants, que cet enseignement changera complètement le cours de leur vie. Les conjoints devraient faire cet apprentissage ensemble pour des raisons qui deviendront évidentes avant la fin de cette introduction.

La *puissance* est l'un des trois objectifs fondamentaux de l'effort humain et elle se divise en deux catégories: celle qui se développe à travers la coordination des lois physiques naturelles et celle qui le fait en combinant et en classifiant les *connaissances*.

La *puissance*, issue de connaissances organisées, est la plus importante parce qu'elle offre un instrument permettant sa transformation et son acheminement vers l'utilisation d'une autre forme de puissance.

L'objet de ce cours est de vous indiquer la route sûre à emprunter pour recueillir les faits que vous souhaitez introduire dans votre système de connaissances. Il existe deux méthodes intéressantes pour accumuler des connaissances : 1° étudier, classifier et assimiler des faits organisés par d'autres; ou 2° procéder par expérience personnelle en établissant son propre processus de collection, d'organisation et de classification des faits.

Cette leçon traite principalement des méthodes et des moyens d'étudier les faits et les données assemblés et classifiés par d'autres.

« Si vous voulez calomnier quelqu'un,
ne le dites pas, mais écrivez-le
dans le sable, au bord de l'eau! »

- Napoleon Hill

LE GÉNIE ORGANISATEUR ET LA STRUCTURE DE L'UNIVERS

Au cours de siècles derniers, les scientifiques ont identifié et catalogué les élements physiques qui comprennent toutes les formes matérielles de l'univers.

COMMENTAIRE

Au cours des prochaines pages, l'auteur explique les lois de base de la physique telles qu'elles étaient comprises à son époque. Elles contiennent des erreurs qui proviennent de son incompréhension et ces dernières seront identifiées même par des néophytes des lois de la physique. Monsieur Hill, par exemple, émet l'opinion que les électrons peuvent être positifs ou négatifs. Un électron, tel que nous le savons aujourd'hui, contient toujours une charge négative. Il existe une branche de la physique qui étudie les particules beaucoup plus infimes que l'électron, un monde dont monsieur Hill n'avait la moindre idée.

Là où monsieur Hill s'écarte du sujet pour discuter de choses spécifiques, des petites parties du texte ont été supprimées. Monsieur Hill ne les aurait pas mentionnées s'il avait eu une meilleure connaissance du sujet. Néanmoins, il est important de lire les grandes lignes de sa description de la matière physique en tant que métaphore ou comparaison au sujet des lois qui gouvernent le comportement humain. C'est d'ailleurs la façon dont il aurait voulu que le lecteur comprenne ce segment. Monsieur Hill essayait de trouver une relation sur une base de physique pour expliquer le « cerveau collectif », ce pouvoir extrêmement mystérieux et tout de même incontestable.

Par l'étude, l'analyse et la mesure exacte, l'homme a découvert la « grandeur » physique de l'univers constitué de soleils, d'étoiles et de planètes, dont quelques-unes sont dix millions de fois plus importantes que la petite Terre sur laquelle il vit.

Paradoxalement, l'homme a découvert la « petitesse » des formes physiques qui constituent l'univers en réduisant les 80 éléments physiques en molécules, atomes, pour atteindre la plus petite particule : l'électron, qui est invisible à l'œil nu; c'est un centre de force positif ou négatif qui constitue l'origine de tout élément physique.

MOLÉCULES, ATOMES ET ÉLECTRONS

Pour comprendre à la fois le détail et la perspective du processus à travers lequel les connaissances sont amassées, organisées et classifiées, il semble essentiel de commencer avec les particules les plus petites et les plus simples de la matière physique, parce qu'elles sont l'ABC qui a permis à la Nature de construire toute la charpente de la partie physique de l'univers.

Les molécules sont constituées d'atomes, petites particules invisibles de matière tournant constamment à la vitesse de la lumière, selon le même principe de la terre révolutionnant autour du soleil.

Ces particules de matières, appelées atomes, qui tournent en un circuit continu dans la molécule, sont constituées d'électrons, les plus petites particules de la matière physique. Comme je l'ai dit précédemment, l'électron ne se présente que sous deux formes de force : positive ou négative. Il est uniforme, n'a qu'une seule dimension et une seule nature. Ainsi, dans un grain de sable ou une goutte d'eau, le principe complet sur lequel l'univers entier opère est reproduit.

Quelle merveille! Quel prodige! Prenez conscience de la magnificence de tout cela la prochaine fois que vous prendrez un repas : chaque mets, l'assiette dans laquelle vous mangez, les ustensiles et la table que vous utilisez ne sont, en dernière analyse, qu'une collection d'électrons.

Dans le monde de la matière physique, que vous contempliez la plus grande étoile brillant dans le ciel ou le plus petit grain de sable, l'objet examiné n'est qu'une collection organisée de molécules, d'atomes et d'électrons en révolution les uns autour des autres, à une vitesse inconcevable.

Chaque particule de matière physique est dans un état permanent de mouvement extrêmement agité. Rien n'est immobile, même si cela peut le sembler à l'oeil nu. Il n'y a pas de matière physique « solide ». Le morceau d'acier le plus dur n'est qu'une masse organisée de molécules, d'atomes et d'électrons en révolution. Bien plus, les électrons de la pièce d'acier sont de même nature et se meuvent à la même vitesse que les électrons s'agitant dans l'or, l'argent, le cuivre ou l'étain.

Les formes de matière physique paraissent différentes l'une de l'autre, *et elles le sont*, car elles sont composées de combinaisons hétérogènes d'atomes : même si, dans ces atomes, les électrons sont toujours les mêmes, certains sont positifs et d'autres négatifs, c'est-à-dire que les uns portent une charge électrique positive, alors que les autres portent une charge négative.

Grâce à la science de la chimie, la matière peut être fractionnée en atomes qui sont invariables. Les éléments sont créés par la combinaison et le changement de position des atomes. Donc, on peut réaliser que les éléments physiques de l'Univers diffèrent les uns des autres seulement par leur nombre d'électrons qui composent leurs atomes et par le nombre et la composition de ces atomes dans les molécules de chaque élément.

Par exemple, un atome de mercure contient 80 charges positives (électrons) dans son noyau et 80 charges négatives périphériques. Si les chimistes pouvaient éliminer deux de ces électrons positifs, il deviendrait instantanément le métal connu sous le nom de platine. Si le chimiste pouvait ensuite aller plus loin, il pourrait transformer le platine en or!

La formule grâce à laquelle cette modification électronique pourrait être produite a fait l'objet d'une recherche constante de la part des alchimistes depuis des siècles et se poursuit avec les chimistes modernes. Tous ces scientifiques savent que des milliers de substances synthétiques ne peuvent être composées que de quatre sortes d'atomes: hydrogène, oxygène, nitrogène et carbone.

Par conséquent, l'atome est la particule universelle avec laquelle la Nature construit toutes les formes matérielles, du grain de sable à la plus grande étoile brillant dans l'espace. L'atome est la « pierre angulaire » de la Nature avec laquelle elle bâtit un chêne ou un pin, un rocher de grès ou de granite, une souris ou un éléphant.

N'ayez pas peur d'un peu d'opposition.

Souvenez-vous que le « cerf-volant »

du succès s'élève généralement CONTRE

le vent de l'adversité, et non avec lui!

COMMENTAIRE

Napoleon Hill nous fait comprendre ici que l'univers est rempli d'énergie invisible inexploitée. C'est l'énergie qui, plus tard, a été démontrée à travers l'explosion de la première bombe atomique.

Mais l'essentiel de ce message est celui-ci : autour d'un amas de matière, il y a un tourbillon d'énergie. Cette énergie détermine qu'une chose attire ou repousse quelque chose. La nature de cette énergie peut permettre à deux atomes d'hydrogène de s'attacher à un atome d'oxygène pour ainsi former une molécule d'eau ou de sodium et un atome de chlorure pour créer une molécule de sel. Les noyaux des atomes ne changent jamais, mais les atomes eux-mêmes sont joints en quelque chose de nouveau dû à la nature de leur énergie.

Dans un groupe de cerveau collectif (génie organisateur), l'énergie des esprits des individus entoure les gens du groupe. Leurs énergies individuelles interagissent et ce qui en résulte est quelque chose de nouveau et différent.

Ces faits concernant les plus petites particules analysables de la matière constituent le point de départ pour vous enseigner la façon de développer et d'appliquer la loi de la puissance.

LE FLUIDE VIBRATOIRE DE LA MATIÈRE

Il a été remarqué que toute matière est en constant état de vibration et de motion; que chaque molécule est composée de particules en mouvement appelée atomes qui, en retour, sont composées de particules actives appelées des électrons.

Un certain degré de vitesse de vibration de cette « énergie fluide » provoque le son. L'oreille humaine ne peut le détecter que s'il est produit par une vibration d'environ vingt à vingt mille cycles par seconde. Quand ce nombre est supérieur au son, les cycles se manifestent sous forme de chaleur. (Ce phénomène est utilisé dans les fours à micro-ondes.)

Toujours plus haut dans l'échelle, les vibrations ou cycles s'enregistrent sous forme de lumière. Même si les rayons ultraviolets sont normalement invisibles, ainsi que l'énergie ayant une longueur d'onde d'un ordre plus élevé que l'ultraviolet, ils peuvent provoquer un effet foudroyant sur les objets physiques. La science sonde encore ces limites supérieures pour en découvrir les mystères.

À un niveau encore plus élevé dans l'échelle, je serais porté à croire que les vibrations, ou cycles, créent la puissance qui génère la *pensée* de l'être humain. Selon moi, la partie « fluide » de toute vibration, de laquelle naissent toutes les formes connues d'énergie, est de nature universelle. Je pense que la partie fluide de la lumière ne se différencie du son que par la vitesse de sa vibration, et que la partie fluide, de la pensée est, sauf pour sa fréquence, exactement la même que pour le son, la chaleur et la lumière.

Tout comme il n'existe qu'une seule forme de matière physique à partir de laquelle la terre, toutes les autres planètes, le soleil et les étoiles sont composés, il n'existe alors qu'une seule forme d'énergie qui garde toute la matière dans un état constant de motion rapide.

Je tiens à citer ici le docteur Alexander Graham Bell, l'inventeur du téléphone à longue distance et l'une des autorités reconnues dans le domaine des champs vibratoires, pour appuyer les théories que j'avance sur le sujet de la vibration:

« Supposons que vous ayez la puissance de faire vibrer une tige de fer à une fréquence donnée dans une chambre noire. Au début, alors que sa vibration est lente, son mouvement sera indiqué par un seul des sens, celui du toucher. Dès que les vibrations augmenteront, un son profond en sortira, sollicitant un deuxième sens.

« À environ 32 000 vibrations à la seconde, le son deviendra aigu, mais à 40 000 vibrations, ce sera le silence total et les mouvements de la tige ne seront plus perçus par le toucher. Ses mouvements ne seront perçus par aucun sens humain normal.

« De ce point jusqu'à 1 500 000 vibrations par seconde, aucun sens ne peut capter un quelconque effet des vibrations survenues. Après avoir atteint ce niveau, le mouvement n'est indiqué que par une augmentation de la température et, ensuite, par la vue, lorsque la tige devient chauffée au rouge. À 3 000 000 de vibrations, la puissance diffuse une lumière violette, puis des rayons ultraviolets et d'autres radiations invisibles, dont certaines peuvent être perçues par des instruments et utilisées par les humains. »

Il m'est donc venu à l'esprit qu'il y avait beaucoup à apprendre sur l'effet de ces vibrations, considérant le grand intervalle où les sens humains ordinaires sont incapables d'entendre, de voir, ou de sentir le mouvement. La puissance nécessaire pour envoyer des messages sans fil par les vibrations de l'éther se trouve dans cet intervalle, mais celui-ci est si grand qu'il me semble contenir encore plus de possibilités. Il faut inventer des appareils qui créent de « nouveaux sens », comme les instruments sans fil le font.

Rendez un plus grand service que celui pour lequel vous êtes payé et vous serez bientôt payé pour plus que le service que vous rendez. La loi des « revenus accrus » s'occupe de cela.

Quand je pense à ce grand intervalle, je me dis qu'il doit sûrement exister d'autres formes de vibrations pouvant offrir des résultats aussi fascinants, sinon plus, que les ondes sans fil! Je crois que c'est dans cet intervalle que se trouvent les vibrations émises par notre cerveau et nos cellules nerveuses dans le processus de la pensée. Elles peuvent peut-être se situer encore plus haut dans l'échelle, au-delà des vibrations qui produisent les rayons ultraviolets.

Un fil est-il nécessaire pour transporter ces vibrations? Ne pourraient-elles passer à travers l'éther sans l'intermédiaire d'un fil, comme c'est le cas pour les ondes sans fil? Comment seraient-elles perçues par le récepteur? Entendrait-il une série de signaux ou découvrirait-il que les pensées d'un autre sont entrées dans son cerveau?

Nous pouvons nous livrer à certaines spéculations basées sur ce que nous connaissons des ondes sans fil et extrapoler sur l'infini de leurs possibilités. Si les ondes de la pensée agissent de façon similaire, elles doivent s'éloigner du cerveau et circuler sans fin autour de notre planète et de l'univers. Le corps, le squelette et d'autres obstacles solides ne formeraient aucune opposition à leur passage, puisqu'elles traversent l'éther qui entoure les molécules de chaque substance, quelles qu'en soient la solidité et la densité.

Vous vous interrogez sûrement sur l'interférence possible avec les pensées des autres et la confusion qui en résulterait si elles circulaient à notre insu à travers notre cerveau? Mais comment être sûr qu'il n'en est pas déjà ainsi? Cela expliquerait peut-être certaines perturbations de l'esprit que personne n'arrive à expliquer. Prenons l'exemple de l'inspiration ou du découragement qu'un orateur peut ressentir en s'adressant à un auditoire. J'ai expérimenté cela plusieurs fois sans être en mesure d'en définir exactement les causes physiques.

À mon avis, plusieurs découvertes scientifiques récentes permettent d'espérer que les humains, dans un avenir proche, pourront lire les pensées d'autrui quand elles seront transmises directement d'un cerveau à un autre, et cela, sans l'intervention de la parole, de l'écriture ou de n'importe quelle méthode de communication. Il est envisageable de voir un jour sans nos yeux, d'entendre sans nos oreilles et de parler sans notre langue.

L'hypothèse selon laquelle deux cerveaux peuvent communiquer, sans l'intervention des sens, s'appuie sur la théorie que la pensée, ou la force vitale, est une forme de perturbation électrique pouvant être saisie par induction et transmise à distance, soit à travers un fil ou simplement à travers la présence constante de l'éther, comme dans le cas des ondes du télégraphe sans fil.

Il existe plusieurs analogies qui suggèrent que la pensée est de la même nature qu'une perturbation électrique. Un nerf, constitué de la même substance que le cerveau, est un excellent conducteur de courant électrique. Lorsqu'un courant électrique fut passé à travers les nerfs d'un mort, les chercheurs furent confondus de le voir s'asseoir et remuer. Les nerfs ainsi électrifiés avaient produit une contraction musculaire s'apparentant à la vie.

Les nerfs semblent agir sur les muscles comme le fait le courant électrique sur un électro-aimant. Le courant aimante une barre de fer placée à angle droit par rapport à lui et les nerfs produisent, par le courant intangible de la force vitale qui circule à travers eux, la contraction des fibres musculaires qui sont disposées à angle droit par rapport à eux.

Il serait possible d'énumérer maintes raisons démontrant la similitude entre la pensée et l'électricité. Le courant électrique est considéré comme un mouvement ondulatoire de l'éther, la substance hypothétique qui remplit tout l'espace et se répand dans toutes les substances. J'estime que l'éther doit exister car, sans lui, le courant électrique ne pourrait passer à travers un vacuum et la lumière ne pourrait traverser l'espace. Il est raisonnable de croire que seul un mouvement ondulatoire analogue puisse produire le phénomène de pensée et de force vitale. Ainsi, les cellules du cerveau agiraient comme une batterie dont le courant coulerait le long des nerfs.

Mais ce courant s'arrête-t-il là? Ses ondes ne sortent-elles pas du corps pour circuler autour de la terre, imperceptibles pour nos sens, exactement comme les ondes sans fil circulaient avant que leur existence ne soit découverte par Hertz et les autres?

CHAQUE CERVEAU EST À LA FOIS ÉMETTEUR ET RÉCEPTEUR

Plus fréquemment que je peux le quantifier, j'ai prouvé, du moins à ma propre satisfaction, que tout cerveau humain est tout à la fois un émetteur et un receveur quant à la fréquence des vibrations de pensée.

Si cette théorie était confirmée par des méthodes de contrôle scientifiques, imaginez le rôle qu'elle jouerait dans la compilation, la classification et l'organisation des connaissances. La possibilité, beaucoup moins que la probabilité d'une telle réalité, fait chanceler l'esprit de l'homme!

Thomas Paine fut l'un des grands esprits de la période de la Révolution américaine. C'est peut-être à lui, plus qu'à n'importe qui d'autre, que nous devons à la fois le début et la fin heureuse de la Révolution, car grâce à son esprit aiguisé, il aida à rédiger la Déclaration d'indépendance et persuada les signataires du document de la formuler en termes réalistes. Voici comment il décrivait l'origine de son immense savoir:

« Toute personne qui a fait des observations sur l'évolution de l'esprit humain en analysant son propre esprit, ne peut que s'être rendu compte qu'il y a deux classes distinctes de pensées: celles que nous produisons par notre réflexion et celles qui apparaissent spontanément dans notre esprit. Je me suis toujours fait un devoir de traiter ces « visiteurs volontaires » avec civilité, prenant soin d'examiner, dans la mesure de mes compétences, s'ils méritaient que je les accueille ou non. C'est grâce à ces pensées spontanées que j'ai acquis presque toutes les connaissances que je possède. Quant au savoir que toute personne apprend à l'école, il ne constitue qu'un petit capital de départ à mettre en branle sur le long chemin de l'érudition. Chaque érudit est son propre professeur parce que les principes ne peuvent s'imprégner sur la mémoire : leur lieu de résidence mentale est la compréhension et ils ne sont jamais aussi durables que lorsqu'ils débutent dans la conception elle-même. »

C'est ainsi que ce grand philosophe et patriote américain décrivait l'expérience commune à chaque individu, à un moment ou un autre de sa vie. Qui n'a pas expérimenté cette certitude que des pensées et même des idées complètes provenant de sources extérieures soient entrées dans leur esprit?

Quels moyens de transmission existe-t-il pour de tels visiteurs, sinon l'éther qui remplit les espaces infinis de l'univers? C'est le moyen de transmission de toutes les formes connues de vibrations telles que le son, la lumière et la chaleur. Pourquoi ne serait-ce pas le même procédé pour la transmission de la vibration de la pensée?

Ainsi, si cette théorie est un fait, l'espace illimité dont l'Univers est pourvu est présentement et continuera d'être littéralement une librairie mentale à partir de laquelle toutes les pensées libérées par les êtres humains peuvent être trouvées.

COMMENTAIRE

Imaginez la part que joue ce principe dans tous les domaines de la vie. Vous en avez probablement déjà fait l'expérience avec vos proches ou avec un collègue de travail. Vous voilà en train de trouver la solution d'un problème et vous arrivez à la même conclusion, tous en même temps.

Vous avez aussi sûrement remarqué que l'intensité des pensées peut faire augmenter leur pouvoir et ainsi agir sur d'autres esprits. Lorsque vous écoutez un conférencier passionné, n'avez-vous pas parfois l'impression que vous savez ce qu'il est sur le point de dire, même les mots qu'il utilisera? Ceci peut parfois être tout simplement dû à une interprétation logique, et ceci peut encore se produire lorsque vous entendez quelqu'un parler d'un sujet à propos duquel vous en connaissez très peu. Dans un tel cas, vous avez peu de jeu pour anticiper quoi que ce soit. Et pourtant, le pouvoir des pensées de l'autre personne vous transmet des idées qui vous sont expliquées.

Imaginez alors appliquer ce résultat à votre poursuite du succès grâce à une alliance harmonieuse et significative de deux esprits ou plus. Il y a deux mots clés dans cette phrase : harmonieuse et significative.

> **Chaque échec est une bénédiction déguisée, pourvu qu'il enseigne une leçon nécessaire qu'on n'aurait pas apprise sans lui.**
>
> **La plupart de ce qu'on appelle des échecs sont seulement des défaites temporaires.**

LA CONNAISSANCE ORGANISÉE

Je vous dévoile donc, sans plus tarder, la fondation d'une des plus importantes hypothèses énumérées dans la leçon 3.

Cette leçon porte sur les connaissances organisées. La plupart d'entre elles, dont la race humaine est devenue l'héritière, ont été préservées et correctement enregistrées dans la « Bible de la Nature ». En tournant les pages de cet impérissable ouvrage, l'homme a pu y lire l'histoire de la lutte terrifiante d'où est issue notre civilisation. Les pages de ce grand livre sont constituées d'éléments physiques, dont cette Terre et les autres planètes sont faites, et aussi de l'éther qui remplit tout l'espace.

En lisant cette œuvre de la nature, l'homme a découvert les os, les squelettes, les empreintes de pieds et d'autres évidences indubitables de l'Histoire de la vie animale sur Terre, preuves déposées par Mère Nature, à travers le temps, pour éclairer sa conduite. Les pages interminables maintenues dans l'éther, où toute pensée humaine a été enregistrée, constituent une source authentique de communication entre le Créateur et l'homme avant même que celui-ci ait atteint le stade du développement de l'amibe (animal unicellulaire).

La modification de cette Bible échappe au contrôle de l'homme, car elle raconte son histoire, non pas dans des langues mortes ou hiéroglyphiques, mais dans une langue universelle que tous ceux qui ont des yeux peuvent lire. La Bible de la Nature, où a été puisée la connaissance qui mérite d'être connue, en est une que l'homme ne peut modifier ni avec laquelle il peut prendre des libertés.

L'une des plus merveilleuses découvertes réalisées par l'homme est celle de la radio. Imaginez l'éther captant la vibration ordinaire du son et la transformant en fréquence radiophonique, la transportant à une station réceptrice convenablement accordée qui lui redonne sa forme originale, le tout en l'espace d'une seconde. Cela n'étonnera personne qu'une telle force puisse capter la vibration de la pensée et la garder en mouvement éternellement.

Le fait établi et connu de la transmission instantanée du son, au moyen de dispositifs radio, déplace du possible au probable ma théorie de la transmission de la vibration de la pensée d'un esprit à l'autre.

COMMENTAIRE

Napoleon Hill a écrit ces mots en 1927, une période de grand optimisme en Amérique. L'économie était en plein essor et l'avancement des sciences, autant que dans l'industrie, se produisait si rapidement qu'il semblait qu'il n'y avait rien d'impossible aux yeux de certaines personnes.

Inutile de vous dire que la communication d'un esprit à un autre ne s'est pas produite au cours de la vie de M. Hill. Cependant, si vous prenez cette extraordinaire recherche qui a été faite au début du vingt-et-unième siècle en relation avec les technologies des communications et l'intelligence artificielle, et que vous combinez le tout avec la connaissance de l'ADN et du génome humain, il vous semblera alors possible, même probable, qu'une certaine forme de la théorie de M. Hill, soit la communication d'un esprit à l'autre, se réalise.

LE GÉNIE ORGANISATEUR

Nous arrivons maintenant à la démarche par laquelle l'étudiant peut assembler, classifier et organiser des connaissances utiles, grâce à l'union harmonieuse de deux ou plusieurs esprits, desquels naîtra un génie organisateur (ou cerveau collectif).

L'expression « génie organisateur » est abstraite et n'a aucune contrepartie dans le champ des faits connus, sauf pour un petit nombre de personnes ayant fait une étude attentive de l'effet qu'un esprit peut avoir sur les autres. J'ai cherché en vain, dans tous les manuels traitant de l'esprit humain, et je n'ai trouvé nulle part la moindre référence au principe que je définis comme étant le « génie organisateur ». Cette expression avait d'abord attiré mon attention lors d'une entrevue avec Andrew Carnegie, comme on le verra dans la seconde leçon.

LA CHIMIE DE L'ESPRIT

Je crois que l'esprit est constitué de la même énergie « fluide » universelle que celle de l'éther qui remplit l'univers. Nous savons que certains esprits s'opposent dès qu'ils sont en contact, alors que d'autres démontrent une affinité naturelle. Entre les deux extrêmes de l'antagonisme naturel et de l'affinité spontanée naissant de la rencontre ou du contact de cerveaux, il y a un éventail de possibilités concernant les réactions possibles entre deux esprits.

Certains esprits sont si naturellement adaptés l'un à l'autre que le « coup de foudre » est instantané. Dans d'autres cas, les esprits démontrent un tel antagonisme, qu'une aversion mutuelle violente apparaît dès la première rencontre. Ces réactions se produisent sans que le moindre mot ou signe, habituellement responsable de l'amour et de la haine, n'ait agi comme stimulus.

Comme nous l'avons vu précédemment, il est presque probable que l'esprit soit constitué d'énergie et lorsque deux esprits se rapprochent suffisamment pour produire un contact, le mélange des unités de ces « choses de l'esprit » prépare une réaction chimique et amorce des vibrations qui affectent les deux individus de façon agréable ou désagréable.

L'effet de la rencontre de deux esprits est évident, même pour l'observateur de passage. Chaque effet doit avoir une cause! Quoi de plus logique, pour expliquer le changement d'attitude mentale entre deux esprits qui viennent à peine de se rencontrer, que d'attribuer cela à une perturbation des électrons ou des unités de chaque esprit qui amorce un réaménagement créé par le contact?

Afin de fixer cette leçon sur de solides assises, j'ai tenu à démontrer, sans équivoque, que le contact de deux esprits provoque réciproquement un certain « effet » perceptible ou un état d'esprit différent de celui qui existait auparavant. Pour l'instant, nul besoin de connaître le motif de cette réaction. L'important est de savoir que cela se produit à chaque occasion. Ce fait connu constitue le point de départ pour démontrer ce que j'entends par l'expression « génie organisateur ».

Un génie organisateur peut être créé par le rapprochement de deux ou plusieurs esprits dans le but de créer une harmonie parfaite. De ce mélange harmonieux, la chimie de l'esprit crée un troisième esprit qui peut convenir et être utilisé par un ou tous les esprits individuels. Ce génie organisateur demeure disponible aussi longtemps qu'existe l'accord harmonieux et favorable entre les esprits. Il se désintégrera, et toute évidence de son existence précédente disparaîtra, dès que l'accord favorable sera brisé.

COMMENTAIRE

Il existe un solide parallèle entre ce que l'auteur exprime ici à propos de l'interrelation des esprits et les théories du révolutionnaire, philosophe, scientifique, inventeur et concepteur, Buckminster Fuller. Dans l'introduction de son livre, Synergetics, *Fuller écrit : « L'Humanité a été privée d'une compréhension détaillée. La spécialisation a amené avec elle des sentiments d'isolation, futilité et confusion chez les individus. » Monsieur Hill croyait que les membres d'un cerveau collectif devaient se distancer de leur profession respective pour former un groupe plus grand que chaque individu.*

Macrocosmiquement, Fuller dit que nous devons comprendre tous les éléments et opérations de l'Univers comme étant interconnectés. Dans son livre Synergetics 303.00, *Fuller définit l'Univers de cette façon : « Le système compréhensif, synchronisé historiquement, intégral-total se joignant à toutes les parties intégrales-totales, systèmes saisis consciemment par les hommes et communiqués à eux-mêmes et à d'autres personnes, de manière non simultanée et non identique quoi que toujours complémentaires et seulement partiellement chevauchés macro-micro, toujours et partout, physiques et métaphysiques, en séquences d'événements mesurables et non mesurables. L'Univers est un scénario dynamiquement synchronisé.*

LA RENCONTRE DES ESPRITS

Ce principe de chimie de l'esprit est la base et la cause de presque tous les soi-disant cas d'âmes-sœurs et d'éternels triangles, dont plusieurs, malheureusement, sont victimes de divorces ou de railleries, car cette grande loi de la nature est méconnue et engendre souvent des propos malfaisants.

Nous ne sommes pas sans ignorer que les deux ou trois premières années d'une union sont souvent marquées par de nombreux désaccords plus ou moins importants, car ce sont les années d'ajustement. Si la relation survit, l'accord permanent est presque assuré. C'est un autre cas où l'effet est perçu sans en comprendre la cause.

Bien que d'autres facteurs puissent intervenir, le manque d'harmonie des premières années d'une union est principalement dû à la lenteur de la chimie des esprits à se marier harmonieusement. Autrement dit, les électrons ou les unités de l'énergie qui définissent l'esprit sont rarement à leur paroxysme au premier contact. Une union stable favorise leur adaptation graduelle, sauf dans les rares cas qui évoluent vers une hostilité mutuelle.

Normalement, après une vie commune d'une dizaine d'années, les conjoints deviennent pratiquement indispensables l'un à l'autre, même si la moindre évidence de l'état d'esprit appelé « amour » ne peut être décelée. Leur intimité développe non seulement une affinité naturelle entre les deux esprits, mais leur fait parfois adopter des expressions faciales similaires ou d'autres types de ressemblance. Un spécialiste du comportement humain peut aisément reconnaître le conjoint, dans un groupe d'étrangers, après avoir été présenté à son épouse. Le regard, le contour du visage et le timbre de la voix des couples unis depuis longtemps se ressemblent étrangement.

L'effet de la chimie de l'esprit humain est tellement puissant que tout orateur expérimenté peut interpréter rapidement la façon dont ses propos sont acceptés par son auditoire. L'antagonisme présent dans l'esprit d'une seule personne parmi mille autres peut être promptement détecté par l'orateur qui a appris à « sentir » et à enregistrer ce genre d'effets. Bien plus, l'orateur avisé peut percevoir ces interprétations sans voir l'expression des visages. Un auditoire peut donc le propulser au sommet de son art oratoire ou l'embarrasser jusqu'au fiasco total et cela, sans faire intervenir le moindre son ni la moindre expression physique.

Tout « maître vendeur » connaît le « moment psychologique » où la conclusion de l'entente survient. Il perçoit cet instant, non par les propos de l'acheteur éventuel, mais par l'effet de la chimie de son esprit tel qu'interprété ou « ressenti » par le vendeur. Les mots démentent souvent les intentions de ceux qui les émettent, mais une interprétation correcte de la chimie de l'esprit ne permet aucun dérapage. Chaque vendeur compétent sait que la majorité des acheteurs ont tendance à adopter une attitude négative jusqu'au point culminant d'une vente.

Grâce à la chimie de l'esprit, un avocat habile a développé un sixième sens lui permettant de détecter et d'interpréter ce qui se déroule dans l'esprit du témoin, au-delà des mots mensongers qu'il profère habilement. Plusieurs avocats ont développé cette habileté sans en connaître la source véritable, maîtrisant la technique sans la compréhension scientifique sur laquelle elle est basée. Plusieurs vendeurs agissent de même.

Celui qui possède l'art d'interpréter correctement la chimie de l'esprit d'autrui agit comme s'il pouvait entrer par la porte avant de la maison d'un esprit donné, explorer les lieux à loisir, noter tous les détails désirés et en sortir, riche d'une image complète, sans que le propriétaire sache qu'il a reçu un visiteur. La leçon 11, qui porte sur *la pensée exacte*, vous permettra d'appliquer ce principe.

> ## « Le fait de croire en l'héroïsme donne naissance à des héros. »
> ### - *Disraéli*

Maintenant que vous connaissez le concept de la chimie de l'esprit, vous savez qu'un changement mental perceptible se produit au moment où deux esprits se rapprochent et qu'ils enregistrent soit une réaction antagoniste ou bienveillante. Chaque esprit possède ce qu'on pourrait appeler un « champ électrique » dont la nature varie en fonction de « la disposition » de l'esprit concerné et de la nature de la chimie de l'esprit qui crée le « champ ».

Je crois que la condition normale ou naturelle de la chimie de l'esprit de tout individu est le résultat de son hérédité physique, jointe à la nature de ses pensées dominantes. Chaque esprit est en constante évolution jusqu'au jour où sa philosophie et sa façon habituelle de penser transforment la chimie de son esprit. J'ai la conviction profonde que tout individu peut volontairement changer la chimie de son esprit de telle sorte qu'il attirera ou repoussera les gens avec qui il entrera en contact. Autrement dit, vous pouvez adopter une attitude mentale qui attirera les gens et leur plaira, ou une attitude qui les repoussera et éveillera leur antagonisme, et cela, sans l'aide de mots, de jeux de physionomie ou d'autres mouvements corporels.

Retournez maintenant à la définition d'un génie organisateur: *un esprit qui naît de l'union et de la coordination de deux ou plusieurs esprits dans un ESPRIT D'HARMONIE PARFAITE,* et vous saisirez la pleine signification du mot « harmonie » dans le sens où il est utilisé ici. Deux esprits s'uniront ou se coordonneront seulement si l'élément de parfaite harmonie est présent : c'est là que réside le secret du succès ou de l'échec d'à peu près toute entreprise ou association.

Tout gérant des ventes, commandant militaire ou autre leader, comprend la nécessité d'un esprit de groupe - un esprit de commune compréhension et de coopération – dans la poursuite du succès. Cet esprit collectif harmonieux convergeant vers l'objectif s'obtient par la discipline, volontaire ou forcée, de sorte que les esprits s'unissent en un génie organisateur. La chimie de chaque esprit est modifiée de telle manière qu'elle s'unit et fonctionne comme s'il s'agissait d'un seul esprit.

Les méthodes pour créer un tel processus de fusion sont aussi nombreuses que les individus engagés dans les différentes formes de leadership. Chaque leader a sa propre méthode de coordination des esprits partisans. L'un utilisera la force, l'autre, la persuasion. L'un jouera sur la peur des punitions, l'autre, sur les récompenses visant à ramener chaque esprit vers ce lieu de rencontre harmonieux commun. Les différents domaines scientifique, politique, économique et financier foisonnent d'exemples illustrant la technique employée par leurs leaders pour favoriser cette union de l'esprit chez leurs membres.

Les grands leaders de l'Histoire ont toutefois été dotés par la nature d'une combinaison chimique de l'esprit favorable à l'attraction des autres esprits. Napoléon en est un exemple notoire : il possédait le type d'esprit magnétique lui permettant d'attirer tous les esprits qu'il côtoyait. C'est pour cela que ses soldats le suivirent vers une mort certaine sans flancher dû à la nature inspirante et stimulante de sa personnalité et cette dernière n'était ni plus ni moins que le transfert de la chimie de son esprit.

COMMENTAIRE

Napoleon Hill crée ici sa propre définition et explication à propos du charisme, mot qui originalement signifiait une sorte de pouvoir religieux ou de leadership qui rendait certains individus inhabituellement magnétiques. Le sujet a fasciné des historiens religieux et politiques, des psychologues et d'autres scientifiques sociaux durant plusieurs années. Cent ans après sa mort, dû à l'influence qu'il semblait apparemment exercer sur les gens autour de lui, Bonaparte était un exemple parfait de leader charismatique. Lorsque Napoleon Hill a initialement écrit Les Lois du Succès*, Napoléon Bonaparte suscitait le même intérêt chez les gens que Hitler le suscite de nos jours.*

LA CRÉATION D'UN CERVEAU COLLECTIF

Aucun groupe ne peut atteindre l'harmonie du génie organisateur si un seul de ses membres possède un esprit négatif et antipathique, car les esprits positifs ne pourront s'unir à lui. L'ignorance de ce fait a conduit bien des chefs, par ailleurs qualifiés, à la déroute.

Tout leader habile qui saisit ce principe de la chimie de l'esprit peut unir harmonieusement les esprits de presque n'importe quel groupe, mais cette harmonie sera temporaire et se désintégrera aussitôt que le leader quittera le groupe. Pourquoi les groupes de vente qui connaissent les plus grands succès se rencontrent-ils au moins une fois par semaine?

DANS LE BUT D'AMALGAMER LES ESPRITS INDIVIDUELS EN UN GÉNIE ORGANISATEUR QUI, POUR UN NOMBRE LIMITÉ DE JOURS, SERVIRA DE STIMULUS AUX AUTRES ESPRITS!

Il est possible, et c'est généralement le cas, les leaders de ces groupes ne comprennent pas toujours ce qui se produit au niveau des esprits lors de ces rencontres. Elles sont habituellement consacrées à des causeries animées par le leader et d'autres membres du groupe et, occasionnellement, par un invité extérieur. C'est lors de ces échanges que les esprits se contactent et se rechargent mutuellement.

Le cerveau d'un être humain peut être comparé à une batterie électrique parce qu'il s'épuise ou se décharge, le laissant désespéré, découragé et vidé de son entrain. Quel est l'heureux mortel qui n'a jamais ressenti cela? Dans un tel état d'épuisement, le cerveau humain doit être rechargé par le contact d'un ou plusieurs esprits ayant plus de vitalité.

COMMENTAIRE

Une grande partie de la pensée Nouvel Âge et l'étude des pratiques de la philosophie et de la religion asiatiques ont créé un certain nombre de façons inconnues de M. Hill de « recharger l'esprit ». Le yoga, la méditation, des formes variées de prières, le « spinning » et d'autres techniques ont tous leurs adeptes. La dernière partie du vingtième siècle a aussi été témoin d'un incroyable intérêt dans les mouvements de croissance personnelle ou de potentiel humain. Cette tendance a donné libre cours à un nombre incalculable de livres, de cours sur CD et DVD, et chaque semaine des milliers de personnes paient pour assister à des séminaires, des conférences et des retraites pour entendre des conférenciers de motivation ou des leaders spirituels leur apporter de l'inspiration pour améliorer certains aspects de leur vie.

Certains experts ont dénigré les effets à long terme de telles techniques en qualifiant les personnes qui assistent à ces séminaires d'accros qui ont besoin d'un nouveau gourou à chaque semaine pour se motiver. M. Hill n'aurait pas accepté des commentaires aussi cyniques, car il était conscient que c'était un aspect parfaitement logique de la nature humaine.

LA SEXUALITÉ ET LE CERVEAU COLLECTIF

Vous possédez un atout majeur si vous comprenez l'importance de vous mettre en contact périodique avec un esprit plus vigoureux afin de maintenir votre esprit vivifié ou « rechargé ». Le contact sexuel est l'un des stimulants les plus efficaces pour recharger un esprit, pourvu que le contact soit fait intelligemment entre deux personnes ressentant une affection véritable. Toute autre forme de relation sexuelle cause un affaiblissement de l'esprit. Tout psychothérapeute compétent peut « recharger » un cerveau en quelques minutes. Avant de terminer cette brève référence au contact sexuel comme moyen de revitalisation d'un esprit épuisé, je voudrais attirer votre attention sur le fait que tous les grands leaders, quelles que soient leurs origines et leur éducation, ont une nature sexuelle très prononcée.

COMMENTAIRE

La position de M. Hill envers la relation entre la sexualité et la créativité est complexe et elle change plusieurs fois au cours de sa vie. Alors qu'il recommande l'union entre un homme et une femme, il ne semble pas très enclin à recommander que les chefs de file intègrent des femmes dans leurs groupes de cerveau collectif. Dans des œuvres plus récentes telle que Réfléchissez et devenez riche, il altère sa position et il recommande la sublimation de l'énergie sexuelle.

Le facteur créant une telle opinion provient sûrement du fait que ses audiences étaient entièrement masculines. (De manière pratique, le climat des affaires des années 1920 et 1930 n'encourageait pas l'accomplissement indépendant de la part des femmes.) Dans la version originale du livre Les Lois du Succès, *la plupart des exemples proviennent d'hommes et les références au potentiel humain sont toujours écrites au genre masculin. (Par exemple, il cite ce qu'un homme peut faire ou ne pas faire.)*

Plusieurs psychologues et chercheurs du domaine médical croient que toutes les maladies apparaissent quand les facultés du cerveau sont amoindries ou épuisées. Une personne ayant un cerveau vivifié serait pratiquement, sinon entièrement, immunisée contre toute forme de maladie.

Vous ne croyez pas en la coopération? Regardez ce qu'il advient d'un wagon lorsqu'il perd une roue!

Tout praticien de la santé avisé sait que la « nature », ou l'esprit, guérit la maladie à chaque fois qu'une cure est effectuée. Les médicaments, la foi, l'imposition des mains, la chiropratie, l'ostéopathie et toutes les autres formes de stimulation extérieure ne sont rien de plus que des aides à la nature. En fait, tous ces moyens ne font que mettre en mouvement la chimie de l'esprit jusqu'à ce qu'elle réajuste les cellules et les tissus du corps, qu'elle régénère le cerveau, agissant de sorte que le corps humain fonctionne en toute normalité.

La plupart des praticiens conventionnels admettront la vérité de cet énoncé.

Quelles sont alors les possibilités de développement futur dans le domaine de la chimie de l'esprit?

Grâce au principe de l'union harmonieuse des esprits, nous pouvons jouir d'une santé parfaite. Ce même principe peut s'appliquer pour nous permettre de développer une puissance suffisante pour résoudre le problème de la pression financière qui constamment pèse sur chacun de nous.

Nous pouvons extrapoler des possibilités futures de la chimie de l'esprit en faisant l'inventaire de ses réalisations passées, tout en considérant le fait que ses succès n'ont été, dans la plupart des cas, que le fruit de découvertes accidentelles et d'agencements d'esprits résultant d'un heureux hasard.

COMMENTAIRE

Dans ses références à la santé et au pouvoir de l'esprit, une fois de plus, Napoleon Hill démontre non seulement un aperçu mais aussi ce qui peut maintenant sembler être de la prévoyance. Au début des années 1960, ce qui est maintenant communément appelé la connexion corps-esprit s'est déplacée du mouvement Nouvel Âge et fait dorénavant partie du style de vie conventionnel de la vie américaine.

Virtuellement, tous les journaux, émissions des nouvelles à la télévision et magazines populaires mettent en vedette des histoires à propos du rôle crucial que l'esprit joue en aidant le système immunitaire à guérir le corps. Des techniques pour utiliser les pouvoirs de guérison de l'esprit sont maintenant enseignées dans la plupart des écoles de médecine et sont la base de livres bestsellers du Dr. O. Carl Simonton, Louise Hay, Dr. Bernie Siegel, Ken Dychtwald, Dr. Deepak Chopra *et* Dr. Andrew Weil, *pour ne mentionner que quelques-uns des auteurs parmi les plus éminents.*

CHIMIE DE L'ESPRIT ET PUISSANCE ÉCONOMIQUE

La chimie de l'esprit peut s'appliquer avec pertinence aux affaires courantes des domaines économique et commercial et est un état de fait facile à prouver.

Grâce à l'*harmonie parfaite* résultant de l'union de deux ou plusieurs esprits, le principe de la chimie de l'esprit peut engendrer une puissance suffisante pour rendre les individus, dont les esprits se sont fusionnés, capables d'accomplir des tours de force apparemment surhumains. La puissance est la force avec laquelle les êtres humains réussissent toute entreprise. La puissance, *existant en quantité illimitée*, peut avantager tout groupe de gens qui possède la sagesse d'extraire leur propre personnalité et leurs intérêts immédiats et personnels, en fusionnant leurs esprits dans un esprit d'*harmonie parfaite*.

Observez, à votre plus grand avantage, la fréquence du mot « harmonie » tout au long de cette première leçon! Aucun génie organisateur ne peut être développé là où cet élément d'harmonie parfaite fait défaut. Il est impossible à un esprit de se fusionner à un autre esprit tant que les deux esprits n'auront pas été éveillés et stimulés dans un esprit de parfaite harmonie d'intention. Aussitôt que les deux esprits bifurquent vers des voies divergentes d'intérêt, les unités individuelles de chaque esprit se séparent et le troisième élément, issu de l'union bienveillante ou harmonieuse, c'est-à-dire le GÉNIE ORGANISATEUR, se désintégrera.

COMMENTAIRE

Avant de lire les prochains commentaires à propos de Ford, Edison et Firestone, il est encore une fois impératif de noter que M. Hill a écrit cet ouvrage bien avant que plusieurs grandes fortunes américaines soient créées. Bien avant également que plusieurs industries et commerces qui jouent un rôle dans notre vie contemporaine aient été conçus. M. Hill écrivait à une époque où la possibilité d'une industrie aéronautique n'était qu'à ses tout débuts et les industries du divertissement incluant les grands studios d'Hollywood, de la musique et des réseaux de télévision attendaient encore les inventions qui les ont rendus possibles. IBM et l'industrie aéronautique n'existaient pas et la révolution de l'ordinateur et de l'Internet étaient inimaginables.

Alors que cette édition révisée est prête pour publication en 2004, il semble quelque peu anachronique d'imaginer trois leaders parmi les plus puissants dans le monde des affaires se réunir pour échanger des idées. De nos jours, au lieu de Ford, Firestone et Edison, ce serait un groupe constitué de Bill Gates, Jeff Bezos et Michael Dell. Aussi intéressante que pourrait être l'idée d'une telle rencontre, il est difficile d'imaginer une réunion en parfaite harmonie et, si c'était le cas, ils pourraient bien violer une demi-douzaine de lois antitrust.

Nonobstant les lois anti-trust, il y a plus d'exemples modernes que nécessaire du cerveau collectif en action. Quel autre terme qualifieriez-vous l'unification de Spielberg, Katzenberg et Geffen qui ont créé Dreamworks? Et qui n'a pas entendu parler de l'exemple classique de Wozniak et Jobs réunis dans un garage définissant les bases du premier ordinateur Apple qui a lancé la révolution de l'ordinateur?

DES EXEMPLES DE LA CHIMIE DE L'ESPRIT EN ACTION

Observons maintenant les réalisations de quelques hommes bien connus qui ont accumulé une grande puissance et aussi de grandes fortunes à travers l'application de la chimie de l'esprit. Commençons notre étude avec trois hommes reconnus comme de grands réalisateurs dans leur domaine respectif de l'économie, des affaires et de l'effort professionnel : **Henry Ford, Thomas A. Edison et Harvey S. Firestone.**

Parmi ces trois entrepreneurs, Henry Ford est de loin le plus puissant, car il était affilié aux forces économique et financière. Plusieurs observateurs croient en fait qu'il était le plus puissant de tous les temps, car il se montrait plus malin que le cartel financier des États-Unis. Il récoltait les millions avec autant d'aisance qu'un enfant remplit son seau de sable à la plage. Ses proches affirmaient, qu'au besoin, il pouvait envoyer une demande d'argent, recueillir un milliard de dollars et l'avoir en poche en moins d'une semaine. Il le faisait avec la même désinvolture que s'il s'agissait du montant d'un loyer mensuel d'une personne à revenus moyens. Il réussissait à se procurer tout cet argent grâce à l'application intelligente des principes sur lesquels ce cours est basé.

Alors que la nouvelle auto Ford n'en était qu'au stade de perfectionnement, en 1927, on dit qu'il reçut des commandes, accompagnées de paiements, pour plus de 375 000 voitures. Si on calcule le coût évalué à 600$ l'unité, cela totalisa 225 000 000$ qu'il reçut avant d'avoir fait la moindre livraison. Telle était la puissance de la confiance que les gens plaçaient dans les capacités de Ford.

Thomas Edison était un philosophe, un scientifique et un inventeur et peut-être l'étudiant de la *Bible de la Nature* le plus acharné qui soit. Il possédait une telle connaissance qu'il rassembla et classa par groupe, pour le bien de l'humanité, plus de lois de la nature que personne avant lui. C'est lui qui favorisa la rencontre d'une pointe d'aiguille et d'un disque de cire sur une table tournante, de telle façon que la vibration de la voix humaine a pu être enregistrée et reproduite par la machine parlante qu'a été le phonographe.

C'est Edison qui fut le premier à maîtriser l'électricité et à la mettre au service de la lumière pour l'usage de l'homme, à l'aide de la lampe électrique incandescente. C'est également lui qui créa le cinéma. Ce ne sont là que quelques-unes de ses réalisations. Ces « miracles » modernes qu'il accomplit sous le couvert de la science, et non sous la fausse prétention d'une puissance surhumaine, transcendèrent tous les soi-disant « miracles » décrits dans les livres de fiction.

Harvey Firestone était l'âme de la grande industrie du pneu Firestone, à Akron, en Ohio. Ses réalisations industrielles sont si connues dans le domaine des transports qu'aucun commentaire additionnel ne semble nécessaire.

Ces trois hommes débutèrent tous leur vie professionnelle sans capital financier et avec peu de scolarité. Ils devinrent pourtant éduqués, prospères et puissants. Considérons maintenant la source de leur prospérité et de leur puissance, car jusqu'ici, nous n'en avons vu que les effets. Le vrai philosophe désire comprendre la cause d'un effet donné.

Ford, Edison et Firestone étaient des amis intimes depuis plusieurs années : ils avaient l'habitude de se retirer dans les bois, une fois par année, pour une période de repos, de méditation et de récupération.

À mon avis, mais peut-être sans qu'ils en soient conscients, il existait entre eux un lien harmonieux qui favorisa l'union de leurs esprits en un génie organisateur qui fut la source réelle de la puissance de chacun. Ce cerveau collectif, issu de la coordination des esprits de Ford, Edison et Firestone, rendit ces hommes capables de se mettre à l'écoute des influences et des sources de connaissances auxquelles le commun des mortels n'avait pas accès.

Si vous doutez du principe ou des effets décrits, les faits parlent d'eux-mêmes : on sait que ces trois hommes étaient dotés d'une grande puissance, qu'ils étaient prospères, qu'ils débutèrent leur carrière sans capital et avec peu de scolarité, que leurs esprits avaient l'habitude de contacts périodiques, qu'ils étaient favorablement disposés l'un envers l'autre. Leurs réalisations furent tellement hors du commun que toute comparaison s'avère inutile.

Ils travaillèrent avec des lois naturelles, des lois reconnues par les économistes et les scientifiques, sauf peut-être la loi sur laquelle est basée la chimie de l'esprit qui n'était pas encore suffisamment développée pour être classée par les hommes de science dans leur répertoire de lois connues.

Un génie organisateur peut être créé par n'importe quel groupe de deux personnes et plus, souhaitant coordonner leurs esprits dans une *intention d'harmonie parfaite*. Des résultats plus concluants apparaissent quand il s'agit de l'union de six ou sept esprits.

Certains pensent que le Christ connaissait le principe de la chimie de l'esprit et que ses exploits, apparemment miraculeux, naquirent du pouvoir qu'il développa à travers l'union des esprits de ses douze apôtres. Lorsque l'un des apôtres, Judas Iscariote, renia sa foi, le génie organisateur se désintégra immédiatement, déclenchant la suite des événements bouleversants que nous connaissons.

COMMENTAIRE

Un exemple à l'opposé est Adolf Hitler, dont l'habileté à garder les esprits de son peuple en servitude, lui a permis de dominer l'Europe, terrifier le monde et commettre d'innombrables crimes contre l'humanité. Son usage immoral du cerveau collectif a été vaincu par un génie organisateur encore plus fort par lequel Franklin Roosevelt et Winston Churchill unirent leur peuple dans un effort vaillant. Il est intéressant de noter qu'aux États-Unis plusieurs personnes s'opposaient d'entrer en guerre contre Hitler et ses alliés. Le Président Roosevelt, cependant, a appliqué plusieurs des principes des lois du succès pour persuader le public de la nécessité et de la droiture d'un tel projet. Les grands leaders ont vraiment la possibilité de créer l'harmonie là où elle est inexistante. Le cerveau collectif de Roosevelt, tout comme celui du Christ, a survécu à sa mort. Celui d'Hitler a péri avec lui.

Tous les cerveaux collectifs ne changent pas le cours de l'Histoire, mais ils peuvent offrir des contributions importantes et valables. À une époque où il était inhabituel pour les femmes de débuter des commerces, Mary Kay Ash a investi toutes ses épargnes pour développer et mettre sur le marché une ligne de cosmétiques. Pour réussir son aventure, elle a créé un génie organisateur avec des femmes qui vendaient ses produits. Parce qu'il y avait tellement de portes fermées à la réussite des femmes en ces temps-là, elle a réalisé que le fait d'offrir une opportunité à ses représentantes que personne d'autre n'offrait, elles relevaient le défi en travaillant fort pour elles-mêmes et pour elle. Elle offrait une myriade de récompenses de distinction, la plus visible étant la fameuse Cadillac rose. De nos jours, grâce à un puissant cerveau collectif, plus de 200 000 femmes à l'échelle mondiale vendent les cosmétiques Mary Kay.

« Le courage est l'armée permanente
de l'âme qui la préserve de la conquête,
du pillage et de l'esclavage. »

- Henry van Dyke

Quand deux ou plusieurs membres d'un groupe harmonisent leurs esprits pour réaliser un génie organisateur, chacun bénéficie de la puissance nécessaire pour contacter et recueillir les connaissances à travers le subconscient des autres membres du groupe. Ce pouvoir devient immédiatement perceptible, car il a pour effet de stimuler l'esprit à un niveau plus élevé de vibration, ce qui se traduit par l'apparition d'un sixième sens à travers lequel jailliront des idées nouvelles. Ces idées se moulent à la nature et à la forme du sujet dominant l'esprit de l'individu. Si le groupe s'est rencontré pour discuter d'un sujet donné, les idées s'y référant afflueront dans l'esprit des membres présents, comme si une influence extérieure les dictait. Les esprits des membres participant au génie organisateur agissent comme des aimants, attirant des stimuli d'idées et de pensées de nature très organisée et pratique, venant..... de nulle part!

Le processus de l'union des esprits, tel que je le décris en termes de génie organisateur, peut se comparer à l'action de celui qui brancherait plusieurs batteries électriques à un seul câble de transmission, ce qui aurait pour effet de multiplier la puissance circulant sur la ligne. Chaque batterie ajoutée augmenterait la puissance du courant de façon proportionnelle à la somme d'énergie qu'elle transporte. Le même phénomène se produit lors de l'union des esprits d'un groupe pour former un génie organisateur. Grâce au principe de la chimie de l'esprit, chaque esprit stimule tous les autres esprits du groupe jusqu'à ce que l'énergie de l'esprit atteigne un sommet lui permettant de pénétrer et de se brancher à l'énergie universelle, l'éther, qui contacte, en retour, chaque atome de l'univers.

Le processus radiophonique illustre cette théorie. Les vibrations du son vont en se multipliant quand elles passent à travers les stations de radiodiffusion puissantes, puis sont ensuite recueillies par l'énergie vibratoire beaucoup plus élevée de l'éther et transportées dans toutes les directions. Un génie organisateur, formé de plusieurs esprits unis ayant la capacité de produire une forte énergie vibratoire, constitue à peu de choses près une contrepartie exacte de l'émetteur radio.

Tout orateur expérimenté a déjà ressenti l'influence de la chimie de l'esprit lorsque chaque auditeur s'accorde à l'unisson avec ses vibrations : il ressent alors une augmentation perceptible d'enthousiasme, ce qui lui permet souvent d'atteindre des sommets oratoires qui surprennent l'auditoire autant que lui-même.

Les cinq à dix premières minutes d'une allocution sont habituellement consacrées à la période communément appelée « de réchauffement ». Il s'agit du processus par lequel les esprits de l'orateur et des auditeurs s'unissent dans un esprit de parfaite harmonie. Tout orateur sait ce qui se produit quand cet état d'*harmonie parfaite* ne se manifeste pas pour l'ensemble de son auditoire.

Le phénomène, soi-disant surnaturel qui survient dans les rencontres dites spiritualistes, est le résultat de la réaction des esprits présents. Ces phénomènes se manifestent rarement en début de rencontre, car dix à vingt minutes sont nécessaires à un groupe avant que leurs esprits puissent s'harmoniser ou s'unir.

LES VIBRATIONS

Les « messages » reçus par les membres d'un groupe spiritualiste proviennent probablement d'une des deux sources suivantes, ou des deux à la fois, à savoir:

1. De la vaste mine d'informations du subconscient de certains membres du groupe;

2. De la mine universelle d'informations de l'éther, où est probablement conservée toute vibration de pensée.

Aucune loi naturelle connue ni aucune motivation humaine n'encouragent la théorie de la communication avec les morts. Cependant, chacun a la possibilité d'explorer la réserve de connaissances de l'esprit d'autrui grâce à ce principe de chimie de l'esprit. Il est possible que cette puissance puisse s'étendre et inclure le contact avec n'importe quelle vibration éthérique, s'il y en a.

La matière et l'énergie (les deux éléments connus de l'Univers) peuvent être transférées, mais ne peuvent être ni crées ni détruites.

La théorie voulant que toutes les vibrations, les plus élevées et les plus raffinées, comme celles issues de la pensée, sont conservées dans l'éther, s'appuie sur le fait connu que ni la matière ni l'énergie (les deux éléments connus de l'univers) ne peuvent être créées ni détruites. Il est raisonnable de supposer que toutes les vibrations qui ont été intensifiées suffisamment pour être recueillies et absorbées dans l'éther se perpétueront à jamais. Les vibrations plus basses, qui ne s'unissent pas ou ne contactent pas l'éther, vivent probablement un certain laps de temps avant de s'éteindre.

Tous les soi-disant génies ont probablement acquis leur réputation grâce à leur union fortuite avec d'autres esprits qui leur ont permis d'intensifier les vibrations de leur propre esprit, ce qui leur a permis de contacter le vaste « temple des connaissances » enregistrées et classées dans l'éther de l'Univers.

Enquêtant plus avant pour trouver la source de la puissance financière qui se manifeste dans les réalisations des gens d'affaires, je me suis penché sur un groupe de Chicago, appelé le « Big Six », constitué de William Wrigley Jr, propriétaire de la fabrique de gomme à mâcher portant son nom, et dont on dit que le revenu personnel annuel dépassait les 15 000 000 de dollars; John R. Thompson, qui exploitait la chaîne de casse-croûtes du même nom; Albert Lasker, propriétaire de la *Lord & Thomas Advertising Agency*; Charles P. McCulloch, propriétaire de la *Parmalee Express Company*, la plus grosse entreprise de transport en Amérique; et William C. Ritchie et William (John C.) Hertz qui se partageaient la propriété de l'exploitation *Yellow Taxicab*.

Une compagnie financière digne de confiance estima le revenu annuel de ces six hommes à plus de 25 000 000$, soit une moyenne annuelle d'environ 4 000 000$ pour chacun. L'analyse révèle qu'aucun d'entre eux n'avait bénéficié des avantages d'une éducation spéciale, qu'ils avaient tous débuté leur carrière sans capital ni crédit élevé : leur réalisation financière n'était due qu'à leur démarche personnelle et non à un heureux hasard de la roue de la chance.

Ces six hommes ont formé une alliance amicale, se rencontrant périodiquement dans le but de s'aider mutuellement en se partageant des idées et des suggestions liées aux divers aspects de leurs entreprises.

À l'exception de Hertz et de Ritchie, aucun des autres n'était associé dans un partenariat légal : ces rencontres n'avaient pour but qu'une assistance réciproque dans le partage d'idées et, occasionnellement, pour endosser certaines garanties lorsqu'un membre du groupe rencontrait une urgence momentanée. Chacun des membres des « Big Six » était multimillionnaire. Cela ne constitue pas en soi un détail digne d'être cité, toutefois, ce qui mérite de l'être, c'est le fait que ces six hommes aient appris comment coordonner leurs esprits en les unissant dans une volonté de parfaite harmonie, créant ainsi un génie organisateur qui leur ouvrit des portes qui restent généralement fermées au commun des mortels.

La *United States Steel Corporation* fut l'une des organisations industrielles les plus fortes et les plus puissantes au monde. L'idée à partir de laquelle se développa ce géant de l'industrie germa dans l'esprit d'Elbert H. Gary, un avocat de banlieue qui avait grandi dans une petite ville de l'Illinois, près de Chicago. Monsieur Gary s'entoura d'une équipe dont il unit avec succès les esprits dans un but de *parfaite harmonie*, créant ainsi le génie organisateur qui s'avéra être le moteur de l'importante *United States Steel Corporation*.

Chaque fois que vous observerez un succès éclatant dans un domaine donné, qu'il s'agisse de la finance, de la politique, de l'industrie, peu importe la profession, dites-vous que, derrière cette réussite, se trouve un individu qui a appliqué le principe de la chimie de l'esprit qui a engendré un génie organisateur. Ces succès phénoménaux semblent souvent être l'oeuvre d'une seule personne, mais si vous cherchez attentivement, vous découvrirez les autres individus dont l'esprit fut coordonné au sien.

Souvenez-vous que deux personnes ou plus sont nécessaires pour mettre en oeuvre le principe de la chimie de l'esprit pouvant créer un génie organisateur.

> **« Les hommes cessent de nous intéresser quand nous découvrons leurs limites.**
>
> **Le seul péché est la limitation.**
>
> **Aussitôt que nous nous rendons compte des limites d'une personne,**
>
> **elle perd tout intérêt à nos yeux.»**
>
> *- Emerson*

COMMENTAIRE

Une des histoires parmi les plus remarquables de l'ère de l'ordinateur est celle de la corporation Intel et, au moment où cette nouvelle édition est prête pour publication, est un des chefs de file dans l'industrie de composantes d'ordinateur. La personnalité la plus éminente chez Intel est certainement Andrew Grove, le PDG de la compagnie. Immigrant, il était serveur aux tables pour subvenir à ses besoins personnels. Cependant, ses habiletés innées en tant que gérant, ne sont qu'une partie de la raison du succès d'Intel. Grove faisait partie d'un cerveau collectif qui incluait Robert Noyce et Gordon Moore, des hommes dont les connais-

sances techniques et l'esprit d'innovation ont aidé à propulser la compagnie. Chacun de ces hommes est tout à fait brillant par lui-même, mais ensemble *ils ont rendu Intel la compagnie dominante de son domaine et une des compagnies parmi les plus profitables dans l'industrie volatile de la haute technologie.*

LORSQUE LA CONNAISSANCE *EST* LE POUVOIR

La puissance de l'homme réside dans la connaissance organisée exprimée à travers des efforts intelligents.

Aucun effort ne peut se prétendre « ORGANISÉ », si les individus impliqués ne coordonnent pas leurs connaissances et leurs énergies dans un esprit de parfaite harmonie. Le manque d'une telle coordination est la cause de presque tous les échecs en affaires.

J'ai mené une expérience intéressante avec les étudiants d'un collège à qui j'avais demandé de rédiger l'essai suivant : Comment et pourquoi Henry Ford est-il devenu riche? L'une des parties du travail consistait à estimer la nature des avoirs de Ford et à en décrire le détail.

La plupart des étudiants rassemblèrent des rapports financiers et l'inventaire des avoirs de Ford et les utilisèrent comme base de leur estimation de sa richesse. Les centaines d'étudiants identifièrent comme sources des richesses de Ford ses comptes en banque, les matières premières et les produits finis en inventaire, ses biens immobiliers et ses bâtiments, sa clientèle, le tout estimé à environ 10 à 25% de la valeur de ses avoirs matériels.

Un seul étudiant répondit ce qui suit : « Les avoirs de Henry Ford sont principalement constitués de deux éléments, à savoir:

1. Le capital d'exploitation, les matières premières et les produits finis;

2. La connaissance acquise par l'expérience de Henry Ford lui-même **et** la coopération d'une organisation bien entraînée qui comprend la façon d'appliquer cette connaissance au mieux, du point de vue de Ford.

Il est impossible d'évaluer, avec exactitude, la valeur réelle en dollars de chacun de ces deux groupes d'avoirs, mais je crois que leurs valeurs relatives sont:

• La connaissance organisée des entreprises............................75 %

• La valeur au comptant et les avoirs matériels de toutes sortes, incluant les matières premières et les produits finis ....25 %

> **Il vous est impossible de devenir une puissance dans votre communauté, ni réaliser un succès durable dans quelque entreprise que ce soit, aussi honorable puisse-t-elle être, tant que vous n'avez pas grandi au point de vous blâmer pour vos erreurs.**

Il va sans dire que le plus grand avoir de Henry Ford était son cerveau. Venaient ensuite ceux de son cercle immédiat d'associés, car c'est grâce à leur coopération que furent accumulés les avoirs matériels qu'il contrôlait. Détruisez chacun des manufactures de la *Ford Motor Company*, chaque pièce de machinerie, chaque parcelle de matières premières ou de produits finis, chaque auto déjà usinée et chaque dollar déposé dans les banques et Ford restera, économiquement, l'homme le plus puissant de la planète. Les cerveaux qui ont bâti l'empire Ford pourraient récidiver encore, car le capital est toujours disponible, *en quantité illimitée*, pour des cerveaux constitués tel que le sien.

Ford fut l'homme le plus puissant au monde, économiquement parlant, parce qu'il avait la conception la plus vive et la plus pratique du principe de la *connaissance organisée* jamais vue jusqu'à ce moment-là. Malgré sa puissance et son succès financier, il se peut qu'il ait souvent commis des fautes dans l'application des principes qui ont généré cette puissance, car les méthodes de coordination des esprits de Ford étaient souvent rudimentaires, du moins au tout début de l'expérience, avant d'acquérir la sagesse de l'application qui vint naturellement avec la maturité.

L'application que Ford fit du principe de la chimie de l'esprit était, au moins au départ, le résultat d'une alliance chanceuse avec d'autres esprits, particulièrement celui d'Edison. Il est plus que probable que la perspicacité remarquable de monsieur Ford concernant les lois de la nature découla d'abord de sa grande complicité avec sa conjointe bien avant sa rencontre avec messieurs Edison ou Firestone. Les gens qui réussissent sans connaître la source réelle de leur succès sont souvent aidés par leur conjoint selon l'application du principe du génie organisateur. Considérant l'intelligence remarquable de madame Ford, j'ai tout lieu de croire que c'est son esprit, uni à celui de son mari, qui donna à Ford son premier départ réel vers la puissance.

Au tout début de sa carrière, monsieur Ford eut à combattre des ennemis personnels puissants : son analphabétisme et son manque de culture qui étaient plus marqués que pour Edison ou Firestone, tous deux dotés, par hérédité naturelle, d'une aptitude propice à l'acquisition et l'application des connaissances. Ford eut à faire émerger ses dons au-delà des limites de son éducation. Dans un bref laps de temps, il réussit à maîtriser trois des ennemis les plus obstinés de l'humanité et les transforma en avoirs constituant les véritables bases de sa réussite. Il s'agissait de l'ignorance, de l'analphabétisme et de la pauvreté.

Toute personne, qui arrive à contrôler ces trois limitations majeures et qui réussit en plus à les exploiter à bon escient, vaut bien cette analyse approfondie.

———————————

Nous vivons dans une ère de puissance industrielle dont la source est *l'effort organisé*. Non seulement la direction des entreprises industrielles a efficacement organisé les travailleurs par le mouvement syndical, mais, dans plusieurs cas, des fusions de l'industrie furent effectuées engendrant, comme à la *United States Steel Corporation*, une puissance pratiquement illimitée.

Régulièrement, les médias nous informent du fusionnement de compagnies, que ce soit dans le domaine des affaires, de l'industrie ou de la finance, où d'énormes ressources sont chapeautées par une direction unique, ce qui a pour effet de créer une grande puissance. Un jour, c'est un groupe de banques, un autre jour, c'est une compagnie de chemins de fer ou un regroupement d'aciéries qui se fusionnent dans le but de développer une puissance grâce à un effort hautement organisé et coordonné.

La connaissance générale et non organisée ne constitue pas la *puissance* : ce n'est qu'une puissance potentielle, la matière à partir de laquelle la puissance réelle peut être développée. Nos bibliothèques modernes contiennent un enregistrement mal organisé de toute la connaissance ayant de la valeur, et cela reflète le degré actuel de notre civilisation dont nous sommes les héritiers. Cette connaissance ne représente pas la puissance parce qu'elle n'est pas organisée.

Chaque type d'énergie, s'il veut survivre, chaque spécimen de vie animale ou végétale doit être organisé. Les animaux géants, dont les os ont rempli le cimetière de la nature après leur extinction, ont laissé la preuve muette mais tangible que la non-organisation signifie l'anéantissement.

De l'électron, la plus petite particule de matière, jusqu'à la plus grosse étoile de l'univers, chaque élément matériel se situant entre ces deux extrêmes offre une preuve irréfutable que l'une des premières lois de la nature est celle de l'*organisation*. Heureux l'individu qui reconnaît l'importance de cette loi et se fait un devoir de se familiariser avec les diverses façons de l'appliquer avantageusement. L'homme d'affaires avisé a non seulement reconnu l'importance de la loi de l'*effort organisé*, mais il en a fait la trame de sa *puissance*.

Plusieurs personnes d'affaires, ne possédant aucune connaissance du principe de la chimie de l'esprit, ont accumulé une grande puissance en organisant simplement la connaissance qu'ils avaient. La majorité de ceux qui ont découvert ce principe et l'ont développé en un génie organisateur ont fait cette découverte par pur hasard, négligeant souvent par la suite d'en reconnaître la nature réelle ou de comprendre la source de leur puissance. Je suis d'avis que nous pouvons compter sur nos doigts les personnes qui ont consciemment utiliser le principe de la chimie de l'esprit en développant la puissance à travers l'union des esprits. Si cette évaluation est exacte, vous voyez qu'il n'y a aucune crainte que la pratique de la chimie de l'esprit soit un domaine encombré à l'excès!

L'une des tâches les plus difficiles pour une personne d'affaires est de persuader ses associés de coordonner leurs efforts dans un esprit d'harmonie. Établir une telle coopération assidue dans un groupe, peu importe la nature de l'entreprise, est presque impossible. Seuls les leaders les plus efficaces peuvent atteindre cet objectif hautement recherché, mais de temps en temps, l'un d'entre eux s'élève au-dessus de la mêlée dans le domaine de l'industrie, des affaires ou de la finance tels que Henry Ford, Thomas A. Edison, John D. Rockefeller Sr, E.H. Harriman ou James J. Hill.

Puissance et succès sont pratiquement des termes synonymes! L'un donne naissance à l'autre. Par conséquent, toute personne qui a la connaissance et le don de développer la puissance à travers le principe de la coordination harmonieuse de l'effort grâce à la fusion des esprits, peut réussir dans n'importe quelle entreprise raisonnable pour laquelle une issue favorable peut être envisagée.

L'HARMONIE

Il est irréaliste de supposer qu'un génie organisateur surgira, comme un champignon, de chaque groupe d'esprits qui prétend à la coordination dans un esprit d'*harmonie*! L'harmonie, dans le vrai sens du terme, est extrêmement rare. L'harmonie est le noyau autour duquel l'état d'esprit connu comme génie organisateur doit graviter. Sans cet élément d'harmonie, il ne peut y avoir de génie organisateur, une vérité que je ne répéterai jamais assez.

Lors de sa proposition pour la création de la Société des Nations, Woodrow Wilson avait en tête le développement d'un génie organi-sateur, composé de groupes d'esprits représentant les nations civilisées du monde. La conception humanitaire de Wilson était, d'une portée inouïe, jamais née dans l'esprit d'un homme, traitait d'un principe englobant suffisamment de puissance pour établir une réelle confrérie entre tous les humains de la terre. La Société des Nations, ou une union similaire d'esprits internationaux réunis en un esprit d'harmonie, est appelée à devenir une réalité.

COMMENTAIRE

La Ligue des Nations à laquelle réfère M. Hill a été établie en 1920, après la Première Guerre Mondiale, dans le but de faire la promotion de la paix mondiale et de la coopération. Et, même si ce fut proposé en premier par le Président Woodrow Wilson, les États-Unis n'ont jamais joint l'organisation, ce qui a grandement entravé son efficacité.

Après la Deuxième Guerre Mondiale, la Ligue des Nations a été remplacée par la création des Nations Unies, dont l'Amérique fut une des nations fondatrices. Malheureusement, les Nations Unies n'ont pas souvent respecté la conception que M. Hill avait d'un génie organisateur, qui exigeait que les participants se réunissent en parfaite harmonie

Le temps pour qu'une telle union d'esprits se forme sera largement mesuré par le temps requis pour que les grandes universités et les institutions d'apprentissage non sectaires supplante l'ignorance et la superstition par la connaissance et la sagesse. Ce moment-là arrive rapidement.

COMMENTAIRE

Ne pas développer de cerveau collectif peut créer d'énormes fiascos embarrassants. La Société Métropolitaine des Transports de New York possédait un terrain de grande valeur sur Columbus Circle, une des intersections les plus achalandées de la ville. Le vieux Colisée était devenu désuet suite à la construction d'un nouveau centre de congrès. Alors, la Société des Transports a décidé de vendre le terrain à un développeur pour construire un nouvel édifice. Plusieurs compagnies ont soumissionné et le gagnant se l'est approprié. Lorsque la maquette de l'édifice a été dévoilée, il y eut une énorme répercussion, car l'édifice était si large qu'il créait de l'ombrage sur une grande partie de Central Park.

Alors, le développeur fit construire une autre maquette, mais celle-là aussi reçut une réprobation publique car le promoteur avait fait très peu d'efforts pour répondre aux nombreuses objections. Des pétitions de groupes de citoyens circulèrent et menacèrent de poursuites légales. De riches individus qui demeuraient dans l'arrondissement protestèrent tout aussi fortement que les gens de la rue parce que tous et chacun ressentaient une menace pour le parc. La Société des Transports, le développeur, même les élus municipaux ont tenté de faire accepter le projet, mais à chaque tournant, ils étaient bloqués par un peuple horrifié.

Finalement, le développeur abandonna. Des centaines de millions de dollars ont été dépensées sur ce projet, la Société des Transports a perdu sa vente, des possibilités d'emplois se sont évanouies et le Colisée resta vide et inutilisé durant une décennie. Tout cela parce que les leaders du projet ont échoué dans la création d'une harmonie avec les citadins.

Les anciens débordements religieux connus sous le nom de « renouveau » offrent une occasion favorable d'étudier le principe de la chimie de l'esprit créé à l'intérieur d'un cerveau collectif. Il faut observer que la musique joue un rôle important en favorisant l'harmonie essentielle à l'union d'un groupe d'esprits dans une telle rencontre. Sans son apport, la rencontre aurait beaucoup moins d'attrait. Pendant la cérémonie, le leader du rassemblement n'a aucune difficulté à créer l'harmonie dans l'esprit de ses fidèles, mais cet état ne dure que le temps de la présence du leader. Après quoi, le génie organisateur qu'il a temporairement créé se désintègre.

En stimulant la nature émotionnelle de ses fidèles, l'évangéliste dédié au réveil de la foi n'a aucune difficulté, dans un décor approprié et avec l'accompagnement de la musique adéquate, à créer un génie organisateur palpable et perceptible par tous ceux présents. L'air lui-même se remplit d'une ambiance positive, stimulante, qui transforme totalement la chimie des esprits présents. L'évangéliste qualifie cet esprit de « l'esprit du Seigneur ».

Lors d'expériences réalisées avec un groupe d'enquêteurs scientifiques et de profanes qui ignoraient la nature de l'exercice, j'ai réussi à créer le même état d'esprit et la même atmosphère positive, et cela, sans la nommer « l'Esprit du Seigneur ». J'ai souvent été témoin de la création de la même ambiance positive dans un groupe de gens d'affaires associés à la vente, sans que cela ait une connotation religieuse.

J'ai déjà collaboré avec Harrison Parker, fondateur de la *Cooperative Society of Chicago*, pour l'aider à mettre sur pied une école spécialisée dans l'art de la vente. Nous avons utilisé le même principe de chimie de l'esprit utilisé par l'évangéliste. Cela eut pour effet de transformer considérablement un groupe de trois mille hommes et femmes n'ayant aucune expérience de la vente. Ils vendirent pour une valeur de dix millions de dollars de fonds boursiers en moins de neuf mois et se méritèrent personnellement plus d'un million de dollars en commissions.

Nous en sommes arrivés à la conclusion que l'élève moyen qui s'inscrirait à cette école atteindrait le sommet de sa puissance de vente en moins d'une semaine. Par la suite, il serait nécessaire de revitaliser son cerveau lors de réunions de promotion. Ces rencontres étaient dirigées comme les rassemblements du « renouveau », avec la même mise en scène, incluant la musique et les haut-parleurs de grande puissance qui exhortaient les vendeurs de la même façon que le faisait l'évangéliste dévoué pour réveiller la foi religieuse.

COMMENTAIRE

On ne peut en rejeter l'évidence même, quoi que le style de présentation à laquelle réfère M. Hill dans ses commentaires à propos de la similarité entre les réunions de renouveau de la foi et de ses réunions de ventes, peuvent aussi être pratiquées à presque tous les séminaires de croissance personnelle.

> **Dans l'histoire du monde, il n'y a jamais eu jusqu'à maintenant une telle abondance d'opportunités pour la personne disposée à donner avant de recevoir.**

Que vous considériez cette approche comme ayant un caractère religieux, psychologique ou relié à la chimie de l'esprit - peu importe l'appellation que vous lui donnez, elles sont toutes basées sur le même principe. Mais, un fait est sûr : quel que soit l'endroit où des esprits entrent en contact dans une intention de *parfaite harmonie*, chacun devient immédiatement enrichi et fortifié par une énergie perceptible appelée génie organisateur. En ce qui me concerne, cette énergie inexplorée peut représenter l'Esprit du Seigneur, mais elle agit tout aussi favorablement quand on lui donne un autre nom.

Le cerveau humain et le système nerveux constituent une pièce de mécanique complexe très difficile à comprendre par la plupart. Si elle est contrôlée et adéquatement dirigée, elle peut accomplir des merveilles de réalisation. Si elle ne l'est pas, elle déviera dans tous les sens comme on peut l'observer chez nombre de patients internés dans des centres psychiatriques.

Tout corps humain normalement constitué est muni d'un laboratoire chimique de premier ordre et d'une réserve de produits chimiques suffisante pour broyer, assimiler, mélanger et combiner la nourriture ingérée afin d'en faire la distribution aux endroits appropriés pour alimenter et régénérer le corps. Plusieurs tests, pratiqués autant sur les humains que sur les animaux, ont démontré que l'énergie, ou l'esprit, joue un rôle important dans cette opération chimique de combinaison et de transformation de la nourriture en substances requises pour bâtir le corps et le maintenir en bon état.

On sait que les soucis, l'anxiété ou la peur peuvent perturber le processus digestif, voire même le bloquer tout à fait, avec comme résultat, la maladie ou même la mort. Cette constatation rend évident le rôle que l'esprit joue dans la chimie de la digestion et de la distribution de la nourriture. Même si cela n'a pas été démontré scientifiquement, d'éminents chercheurs croient que l'énergie, connue sous le nom d'esprit ou pensée, peut être contaminée par des éléments négatifs ou « asociaux » au point de mettre le système nerveux hors d'état de travailler : la digestion se trouve ainsi perturbée, provoquant de multiples malaises. Les difficultés financières et les chagrins d'amour arrivent en tête de liste comme causes de ces perturbations d'ordre émotionnel.

Un environnement familial négatif entrave la chimie de l'esprit, allant jusqu'à détruire toute forme d'ambition. Tel est le cas lorsqu'il y a du harcèlement dans une famille. On entend souvent dire que l'attitude du conjoint peut stimuler ou détruire son partenaire, ce qui est tout à fait vrai. J'aborderai ce sujet dans une leçon ultérieure.

Nous savons que certaines combinaisons alimentaires peuvent provoquer une indigestion, de vives douleurs abdominales et même la mort. La bonne santé dépend, en partie du moins, d'une absorption de nourriture compatible, mais cela est insuffisant si ce n'est pas jumelé à un accord entre les éléments de l'énergie, c'est-à-dire l'esprit.

L'harmonie semble donc être l'une des lois de la nature sans laquelle il ne peut y avoir d'énergie organisée ou de vie sous quelque forme que ce soit. La santé du corps, aussi bien que celle de l'esprit, sont littéralement construites autour du principe de l'harmonie. L'énergie que l'on nomme « la vie » amorce sa chute vers la mort quand les organes du corps cessent de travailler en harmonie.

Un individu est à moitié battu à l'instant où il commence à s'apitoyer sur lui-même ou à préparer un prétexte pour excuser ses défauts.

Dès l'instant où l'harmonie cesse là où il y avait une forme d'énergie organisée - une puissance -, les éléments de cette énergie sont projetés dans un état chaotique de désordre, la neutralisant ou la rendant passive. L'harmonie est le noyau autour duquel le principe de la chimie de l'esprit, le génie organisateur, développe la puissance. Détruisez cette harmonie et vous détruisez du même souffle la puissance issue de l'effort concerté d'un groupe d'esprits.

Je vous ai exposé cette vérité de toutes les façons possibles, la reformulant et la répétant. Si vous n'en saisissez pas le principe et que vous ne l'appliquez pas, la lecture de cette leçon aura été vaine.

Le succès dans la vie, peu importe la définition que nous lui donnons, est avant tout une question d'adaptation à notre environnement afin de créer l'harmonie avec notre entourage. Sans harmonie, le palais d'un roi peut devenir taudis de paysan; à l'inverse la hutte d'un paysan peut irradier davantage de bonheur que le manoir de l'homme riche: tout est question d'harmonie!

Sans harmonie parfaite, l'astronomie serait une science aussi inutile que les « reliques d'un saint » parce que les étoiles et les planètes s'opposeraient les unes aux autres dans un état de chaos et de désordre.

Sans la loi de l'harmonie, un gland pourrait pousser sur un arbre amalgamé du bois d'un chêne, d'un peuplier ou d'un érable. Sans la loi de l'harmonie, le sang pourrait déposer la nourriture favorisant la pousse des ongles sur le cuir chevelu et vice-versa, créant ainsi une croissance anormale et anarchique dans notre système.

Sans la loi de l'harmonie, il ne pourrait exister aucune organisation de connaissances, qui est avant tout basée sur l'harmonie des faits, des vérités et des lois naturelles. Quand la discorde s'insinue quelque part, l'harmonie prend la fuite, qu'il s'agisse d'une association commerciale ou d'un mouvement ordonné des planètes.

Si vous trouvez que j'insiste trop sur l'importance de l'harmonie, rappelez-vous que le manque d'harmonie est trop souvent la première, et souvent la dernière, et la seule cause de l'échec.

Sans harmonie, il ne peut y avoir ni poésie, ni musique, ni autres formes artistiques dignes de mention. Une architecture valable est avant tout une question d'harmonie, sinon tout bâtiment ne serait qu'un amoncellement désordonné de matériaux créant ainsi une monstruosité. Une entreprise aguerrie établit son leadership dans l'harmonie.

Toute personne bien vêtue est l'image évidente de l'harmonie.

Après avoir cité tous ces exemples illustrant le rôle capital de l'harmonie dans les activités du monde - voire dans l'organisation de l'univers - comment une personne intelligente peut-elle laisser l'harmonie en dehors de son *but clairement défini* dans sa vie? Aussi bien n'avoir aucun but plutôt qu'omettre l'harmonie comme pierre angulaire de nos fondations.

LA CONNAISSANCE ET LA PUISSANCE

Le corps humain est une organisation complexe d'organes, de glandes, de vaisseaux sanguins, de nerfs, de cellules, de muscles, etc. L'énergie du cerveau stimule et coordonne les efforts des éléments constitutifs du corps et il est aussi une pluralité des énergies qui varient et changent constamment. De la naissance à la mort, il y a une lutte continuelle entre les forces de l'esprit, tel le combat que nous menons tous entre les forces motivantes et nos désirs soumis aux impulsions du bien et du mal.

Chaque être humain possède au moins deux personnalités distinctes et autant que six ont été découvertes chez une seule personne.

L'une des tâches les plus délicates consiste à accorder les énergies de l'esprit pour les organiser et les diriger vers l'atteinte méthodique d'un objectif donné. Sans cet élément d'harmonie, personne ne peut atteindre la pensée juste.

Il n'est pas surprenant que les leaders de différents domaines, qu'il s'agisse du monde des affaires, de l'industrie, de la politique ou autres, trouvent difficile d'organiser des groupes harmonieux travaillant à la réalisation d'un objectif commun. Si la chimie de notre esprit est à ce point complexe qu'il est difficile d'en harmoniser aisément les éléments, imaginez ce qu'il en coûte lorsqu'il s'agit d'harmoniser un groupe d'esprits à travers un génie organisateur.

Le leader qui développe et dirige avec succès les énergies d'un génie organisateur doit faire preuve de tact, de patience, de persévérance et de confiance en soi. De plus, il doit posséder une connaissance intime de la chimie de l'esprit et des dons intellectuels pour s'adapter harmonieusement aux circonstances en perpétuel changement et cela, sans montrer le moindre signe de contrariété. Combien peuvent satisfaire à cette exigence?

Le leader accompli doit avoir le talent de changer la couleur de son esprit, comme le caméléon, et de s'adapter à toutes les circonstances qui feront appel à ses qualités de chef. Bien plus, il doit posséder le don de changer d'humeur sans montrer le plus léger signe de colère ou de manque de contrôle. Le leader qui réussit doit comprendre *les dix-sept lois du succès* et pouvoir les mettre en pratique à chaque fois que l'occasion se présente. Sans cette habileté, aucun leader ne peut être puissant, et sans puissance, aucun leader ne peut régner longtemps.

LA SIGNIFICATION DE L'ÉDUCATION

Il y a eu longtemps méprise générale quant à la signification du mot « éduquer ». Les dictionnaires n'ont pas aidé à éliminer ce malentendu en le définissant comme « l'acte de donner la connaissance ». Il prend ses racines dans le mot latin *educo,* signifiant : développer *de l'intérieur*, extraire, tirer de, croître à travers la loi de l'*usage*.

La nature déteste l'oisiveté sous toutes ses formes. Elle ne donne une vie permanente qu'aux éléments qui sont utilisés. Attachez-vous un bras, ou n'importe quelle autre partie du corps : la partie inactive finira par s'atrophier. Renversez l'ordre et donnez à votre bras plus que le travail normal, comme le forgeron maniant l'enclume au quotidien : votre membre deviendra plus fort.

LA CONNAISSANCE ORGANISÉE EN ACTION

La puissance se développe à partir de la *connaissance organisée*, mais s'accroît seulement par l'application et l'usage! Vous pouvez être une encyclopédie ambulante sans posséder aucune puissance. Cette connaissance devient puissance dans la mesure où elle est organisée, classifiée et mise en action.

Une personne peut devenir une encyclopédie vivante sans, toutefois, posséder quelque pouvoir ou valeur que ce soit. Cette connaissance devient de la puissance une fois seulement qu'elle est organisée, classée et mise en pratique. Certaines des personnes les mieux éduquées du monde possèdent beaucoup moins de connaissances d'ordre général que certaines autres considérées idiotes, la différence entre les deux provenant que le premier groupe a mis ses connaissances en pratique tandis que le second n'a fait aucune telle tentative.

Une personne éduquée est celle qui sait comment acquérir tout ce dont elle a besoin lors de la poursuite de son objectif principal, et cela, sans violer les droits des autres. Cette définition prouve que plusieurs personnes cultivées ne peuvent même pas être considérées comme étant éduquées. De façon similaire, il peut être surprenant à ceux qui croient souffrir d'un manque de connaissances d'apprendre qu'elles sont bien éduquées.

COMMENTAIRE

Fréquemment cité, Henry Ford est un exemple. Un autre est Albert Einstein qui peinait à boucler ses fins de mois en tant qu'agent aux brevets d'invention jusqu'à ce qu'il commence à mettre en pratique ses connaissances dans le domaine de la physique. Le Président des États-Unis, Harry S. Truman, n'avait rien de plus qu'une scolarité de niveau collégial. Il riait du fait qu'il ait tant de difficulté à épeler le mot dictionnaire et que lorsqu'il devait l'écrire, il était forcé de regarder à l'endos du livre pour savoir de quelle façon l'écrire. Mais, tous ces hommes commandaient la puissance de différentes façons.

LES UTILISATIONS DE LA CONNAISSANCE

L'avocat qui réussit n'est pas nécessairement celui qui mémorise le plus grand nombre de principes de loi. Bien au contraire. Cette personne est celle qui sait où trouver ce point de loi, en plus d'une variété d'opinions corroborant ce principe qui remplit le besoin d'un cas particulier. En d'autres mots, l'avocat qui réussit est celui qui sait où trouver la loi dont il a besoin, lorsque nécessaire. Ce principe s'applique de force égale aux affaires du domaine de l'individu et du commerce.

Henry Ford, malgré le peu de scolarité dont il a bénéficié, fut pourtant l'un des hommes les mieux « instruits » au monde parce qu'il avait acquis la compétence de combiner les lois naturelles et économiques, grâce à l'esprit de d'autres hommes, de façon à acquérir la puissance nécessaire pour se procurer tous les biens matériels qu'il désirait.

Durant la première guerre mondiale, monsieur Ford engagea une poursuite contre le *Chicago Tribune,* l'accusant d'avoir publié des propos diffamatoires à son égard, dont l'un déclarait qu'il était un pacifiste ignorant. Quand le procès commença, les avocats du journal tentèrent de démontrer la véracité de leurs propos comme quoi il était de toute évidence ignorant et, ce but en tête, ils l'ont interrogé et questionné sur toutes sortes de sujets.

Acceptez les conseils d'individus qui vous diront la vérité sur vous-même, et cela, même si ça vous blessait de les entendre.

Une simple remarque ne serait pas porteuse d'énergie qui susciterait votre amélioration.

Une de leurs questions fut: « Combien de soldats les Britanniques ont-ils envoyés dans les Colonies en 1776 pour refréner la rebellion? »

Un sourire en coin, Ford nonchalamment répliqua : « Je ne sais au juste combien, mais j'ai entendu dire qu'il en était venu beaucoup plus qu'il n'en est revenu! ».

Éclatement de rire général, même de la part de l'avocat frustré qui avait posé la question. L'interrogatoire se poursuivit ainsi pendant plus d'une heure. Monsieur Ford se prêta avec calme au jeu des avocats présomptueux jusqu'à ce qu'il réplique à une question particulièrement odieuse et insultante. Il se redressa alors en pointant l'interrogateur du doigt:

« Si je désirais réellement répondre à la question stupide que vous venez de me poser ou à toutes les précédentes, laissez-moi vous rappeler que j'ai une rangée de boutons sur mon bureau sur lesquels je pourrais appuyer pour faire appel à des gens qui sauraient me donner la bonne réponse à toutes les questions que vous avez posées et à plusieurs que vous n'avez pas l'intelligence de me poser. Maintenant, auriez-vous l'amabilité de me dire pourquoi je devrais me remplir l'esprit avec une série de détails inutiles, pour répondre à n'importe quelle question idiote que quiconque peut poser, quand j'ai autour de moi des gens compétents qui peuvent me fournir tous les faits que je veux, quand j'en ai besoin? »

Je cite cet extrait de mémoire, mais il relate en substance la réponse de Ford.

Le silence se fit dans la salle d'audience. L'avocat du journal resta bouche bée, les yeux stupéfaits, le juge se pencha, interloqué, vers monsieur Ford et plusieurs jurés regardèrent nerveusement tout autour comme s'il venait de se produire une explosion.

Un homme d'église connu, présent dans l'assistance, déclara plus tard que cette situation lui avait rappelé la scène qui s'est probablement passée de Jésus devant Ponce Pilate, après que Jésus eut répondu à la question: « Es-tu roi? »

La réplique de Ford mit l'interrogateur KO! Jusque là, l'avocat avait pris un malin plaisir à questionner Ford en faisant étalage de ses connaissances générales et en les comparant adroitement avec ce qu'il supposait être l'ignorance de Ford sur plusieurs événements et sujets.

Mais la réponse que Ford lui servit coupa court à sa condescendance!

Sa réaction a démontré une fois de plus que la véritable éducation s'inscrit dans le développement de l'esprit et non seulement dans la compilation et la classification de connaissances. Ford ne pouvait peut-être pas nommer les capitales de tous les États américains, mais il avait ramassé le « capital » avec lequel il faisait « tourner plusieurs roues » à l'intérieur de chaque État.

L'éducation, ne l'oublions pas, c'est le pouvoir d'obtenir ce dont on a besoin quand c'est nécessaire, sans brimer les droits de ses semblables. Ford souscrivait bien à cette définition comme l'illustre l'incident précédent qui reflète la philosophie de cet homme simple et inspirant.

COMMENTAIRE

Tel que le démontre l'exemple de Henry Ford, le pouvoir est une connaissance organisée et exprimée à travers des efforts intelligents. Considérons de quelle façon un cerveau collectif facilite la pratique du pouvoir. L'ère courante a été qualifiée de l'ère de l'information et cela est dû en grande partie à la facilité avec laquelle l'information est transférée à l'aide d'ordinateurs à des vitesses et des quantités qui étaient à peine une génération passée, complètement impensables.

Mais l'information n'est pas la connaissance organisée. En fait, une des plaintes principales de la part de plusieurs personnes c'est qu'ils ont beaucoup plus d'informations à leur disposition que ce qu'ils peuvent en faire. Quelques minutes à surfer sur l'Internet à la recherche d'une réponse à une question particulière peut produire un déluge d'informations conflictuelles et ambiguës qui n'augmente en rien les connaissances d'une personne. Des milliers de faits peuvent avoir été rassemblés, mais une compréhension de ces faits, incluant ceux qui sont significatifs autant que ceux qui ne le sont pas, est nécessaire avant d'être considérée comme étant une connaissance. Et, comme M. Hill le dit, même une telle connaissance n'est pas le pouvoir; ce n'est qu'un pouvoir potentiel, le matériel à partir duquel le vrai pouvoir peut être développé. L'application de ce pouvoir potentiel exige un effort convenablement organisé.

Supposons que vous ayez rassemblé le nom et l'adresse de chaque PDG d'une compagnie de Fortune 500. Posséder une telle information représente un pouvoir potentiel qui est l'habileté de contacter ces hommes et ces femmes. Un tel pouvoir peut vous être utile tout comme il peut ne pas l'être. Si vous tentiez de vendre une petite maison ayant besoin de rénovation, vous cibleriez un tout autre groupe d'acheteurs. Si, d'un autre côté, vous aviez un domaine de luxe à vendre possédant un système de sécurité à la fine pointe de la technologie et des capacités de communications, le groupe des PDG serait mieux ciblé. Indéniablement, la connaissance que vous acquérez doit être appropriée à la tâche à accomplir.

Si vous aviez un tel domaine à vendre et que vous ne tentiez jamais de rejoindre ces PDG, vous n'utiliseriez pas le pouvoir potentiel de votre connaissance, simplement parce que vous n'auriez pas fait d'efforts. Et si vous faisiez livrer une boîte de chocolats fins à chacun d'eux et quelques ballons avec une note manuscrite au sujet de votre propriété, vous feriez un effort mais qui ne serait pas vraiment approprié.

Toutefois, si vous faisiez imprimer une brochure explicative contenant des photos, mettant en vedette et décrivant tous les aspects uniques de cette propriété, vous appliqueriez votre connaissance de façon beaucoup plus efficace, vous accordant ainsi le pouvoir d'attirer l'attention de vos acheteurs potentiels.

Jusqu'à maintenant, la vente de ce domaine a nécessité au moins trois tâches différentes. La première, la collection des noms des acheteurs potentiels; la deuxième, la création d'un moyen de vente appropriée; et la troisième, la distribution aux éventuels acheteurs. En supposant que vous arriviez à intéresser certaines personnes parmi ces destinataires, vous aurez aussi besoin de quelqu'un pour montrer la propriété et éventuellement négocier les termes d'une entente. Tout ceci représente cinq tâches

*différentes, chacune nécessitant différentes notions de connais-
sances. Vous pourriez travailler à vous former pour effectuer chacune de ces tâches ou vous pourriez former un cerveau collectif.*

*Vous pourriez débuter en engageant un spécialiste du publi-
postage pour bâtir une liste de noms; cette personne pourrait
aussi contribuer à l'élaboration du dépliant dont la création pourrait être prise en charge par un graphiste familier avec toutes les
étapes nécessaires à la production. Vous pourriez prendre la responsabilité de montrer la propriété et de la vendre à vos acheteurs
potentiels et tous les détails légaux pourraient être réglés par un
avocat. Vous seriez donc tous unis par le même objectif, permettant à vos habiletés personnelles de conclure la vente. Qui aurait
vraiment été responsable de conclure cette vente? Vous, car vous
auriez été la personne qui a réuni une équipe dont les membres
ont fait leur travail.*

Certains savants auraient pu embarrasser Ford avec leurs questions auxquelles il ne pouvait répondre, mais il était habile à contour-
ner le problème et à engager une bataille dans l'industrie ou la
finance qui aurait pu les exterminer, avec toutes leurs connaissances,
s'il l'avait décidé.

Dans son laboratoire de chimie, Ford n'était pas en mesure de
travailler à séparer l'eau en ses composantes d'hydrogène et d'oxygène pour associer ces atomes dans leur forme initiale, mais il savait
comment s'entourer de chimistes qui avaient la compétence de le
faire pour lui.

La personne qui sait utiliser intelligemment la connaissance
d'autrui est davantage « éduquée » que celle qui ne détient que la
connaissance, sans savoir quoi en faire.

Le directeur d'un collège bien en vue hérita un jour d'une grande
étendue de terre aride ne contenant ni bois debout à valeur commerciale, ni minerai, ni autre valeur exploitable : elle ne constituait qu'une
source de dépenses à cause des taxes foncières qu'il devait payer.
L'État fit passer une route à travers la terre, ce qui diminua encore
plus sa valeur aux yeux de son propriétaire.

Un homme peu instruit qui passait par là en auto, la trouva bien située, tout en haut d'une montagne, avec une vue magnifique sur plusieurs kilomètres dans toutes les directions. Elle était couverte d'une multitude de petits pins et autres jeunes arbres. Il acheta 50 arpents de terrain à 10$ chacun. Sur le bord de la route, il se construisit une maison de rondins à laquelle il rattacha une grande salle à manger et il installa un poste d'essence tout près. Il construisit une douzaine de maisons semblables le long de la route et les loua aux touristes pour 3$ la nuit. La salle à dîner, le poste d'essence et les maisonnettes de bois lui rapportèrent un revenu annuel de 15 000$ la première année. L'année suivante, il élargit son projet en ajoutant 50 maisonnettes de rondins de trois chambres chacune, qu'il louait l'été aux gens d'une ville voisine, au coût de 150$ pour la saison.

Les matériaux de construction ne lui coûtaient rien, car ils poussaient en abondance sur sa terre. L'allure inhabituelle des petits chalets de rondins attirait les gens qui leur trouvaient du cachet, alors que plusieurs détracteurs s'indignaient de l'utilisation de tels matériaux rudimentaires.

À quelques kilomètres du site des chalets en bois rond, cet homme acquit une vieille ferme de 150 arpents où coulait un petit cours d'eau, qu'il paya 25$ l'arpent, prix jugé démesuré par le vendeur, trop heureux d'avoir conclu une si bonne affaire. Il y fit ériger un barrage de près de 30 mètres, qui transforma l'étendue d'eau en un lac couvrant 15 arpents, qu'il peupla de poissons. Il vendit le reste en lotissements pour les gens désirant un lieu de villégiature. Le profit réalisé en un seul été par cette simple transaction totalisa plus de 25 000$.

> **En perdant notre sens de l'humour,**
>
> **nous ressemblons à un ascenseur car,**
>
> **qu'on le veuille ou non,**
>
> **notre vie est une suite de hauts et de bas.**

Pourtant, cet homme intuitif et imaginatif n'était pas très « éduqué » dans le sens où nous l'entendons. Cet exemple illustre bien à quel point l'usage de la *connaissance organisée* permet d'acquérir la véritable instruction et, par ricochet, la puissance réelle.

Suite au développement d'envergure réalisé grâce au lopin de terre qu'il avait vendu pour une bouchée de pain, le directeur du collège, qui avait fait un gain de 500$ lors de la vente, déclara:

« Imaginez! Cet homme, que la plupart de nous traitait d'« ignorant », jumela son ignorance à 50 arpents de terre sans valeur et fit en sorte que cette transaction lui rapporte annuellement plus que mon salaire gagné en cinq ans, grâce à ma soi-disant éducation! »

Si vous étudiez attentivement la topographie d'une région, vous trouverez peut-être l'endroit qui convient pour développer une entreprise lucrative similaire. Tout est possible quand interviennent l'*imagination* et la *confiance en soi*. Plusieurs opportunités semblables vous sont souvent offertes et ce cours a été préparé pour vous aider à les saisir et pour apprendre la façon d'en retirer le maximum.

COMMENTAIRE

Si vous croyez que l'exemple de M. Hill de débuter ce que nous connaissons aujourd'hui comme étant un motel n'est plus à la mode, c'est que vous ne voyez pas les idées derrière les mots. Alors que cette édition est sur le point d'être publiée, le conseil de M. Hill a plus de soixante-quinze ans. Un des commerces des plus fructueux de cette ère pourrait tout aussi bien avoir été inspiré par cette histoire d'une mode révolue. Jeff Bezos a fait exactement ce que M. Hill a suggéré. Il a cherché une autoroute sur laquelle il a débuté un nouveau modèle d'affaires. Lorsqu'il a trouvé le bon endroit, il a ouvert un magasin de livres. L'autoroute que Bezos cherchait était l'autoroute de l'information et la librairie était Amazon.com.

Parfois, l'innovation exige une éducation spécialisée ou une expertise technique, mais très souvent le commerce lui-même n'a rien de nouveau. L'innovation est dans la découverte de la bonne autoroute.

Lora Brody est un autre exemple de quelqu'un dont l'inspiration l'a rendue plus reconnue que les pseudos experts. Auteure de plusieurs livres de recettes, Lora a remarqué l'engouement des gens pour les fours à pains. Lorsqu'elle a réalisé que les gens n'étaient pas très satisfaits du résultat de la cuisson, son premier geste fut d'écrire un autre livre de recettes concernant les fours à pains. Il fut un succès instantané. Elle amena alors son idée encore plus loin.

De grosses corporations fabriquaient ces appareils et d'autres grosses corporations concoctaient les mélanges à utiliser avec ces fours. Mais Lora a réalisé que ces appareils étaient très différents des méthodes traditionnelles et que les vieilles méthodes ne convenaient plus. Les utilisateurs des fours à pains avaient besoin d'additifs, des ingrédients naturels simples que les boulangeries professionnelles utilisaient en tout temps. Elle a alors créé une ligne d'ingrédients qui pouvaient tout simplement être ajoutés à n'importe quelle recette de pain, créant ainsi une meilleure miche, une gamme de pains plus savoureux.

Rapidement, son « four à pain magique » fut en vente dans les épiceries et catalogues spécialisés partout au pays, rendant ainsi les boulangers en herbe plus heureux et Lora Brody, une riche et populaire entrepreneure. Les experts impliqués dans la création de ces fours et les compagnies de farine qui pensaient aux profits générés par leur popularité, ont négligé une opportunité extraordinaire dont a profité une femme qui a organisé ses connaissances.

Au cours des années 1970, les ordinateurs étaient utilisés par les grandes compagnies. Ces appareils étaient gigantesques et compliqués, trop coûteux pour être achetés par quiconque d'autres ou, du moins, telle était la sagesse conventionnelle de compagnies telles que IBM. Steve Jobs et Steven Wozniak pensaient différemment. Dans un garage en Californie, ils ont bâti un petit ordinateur qui pouvait prendre place sur un pupitre. La compagnie qu'ils ont créée fut appelée Apple. L'ordinateur Apple a tout simplement créé une révolution dans l'industrie et rendit Jobs et Wozniak multimillionnaires parce qu'ils ont organisé leurs connaissances d'une façon dont personne d'autre ne l'avait fait avant eux. À eux deux, ils formaient un cerveau collectif basé sur l'harmonie.

Ray Kroc a constaté que les gens voulaient prendre avantage de la restauration rapide et il créa McDonald's. Frederick W. Smith a réalisé que les gens voulaient des livraisons rapides et efficaces il créa Federal Express. Bill Bowerman voyait des gens pratiquer le « jogging » et il créa Nike afin de leur procurer des chaussures adéquates et performantes pour pratiquer cette nouvelle activité.

Il existe partout des occasions similaires, dans tous les domaines de la vie, dans tout besoin touchant à l'être humain, pour atteindre le succès. Ce cours peut vous révéler de nouvelles opportunités et stratégies pour profiter d'une réussite personnelle, mais ce qu'il ne peut pas faire c'est vous donner le bénéfice d'une éducation réelle, de créer une compréhension basée sur vos propres efforts. Vous devez décider de prendre les idées que vous développez en lisant ces pages et les appliquer dans tous vos efforts.

Au fil des pages de ce cours, vous apprendrez encore davantage à propos du cerveau collectif, et autant à propos de tous les autres principes significatifs que vous devez appliquer. Vous commencerez à percevoir de quelle façon ils se complètent tous pour former un tout harmonieux, une façon d'agir et de penser qui prend avantage de la façon dont opère le monde. Mais seulement lorsque vous appliquerez chacun des principes arriverez-vous à comprendre de quelle façon les intégrer dans votre vie.

Rappelez-vous : vos propres actions vous enseigneront Les Lois du Succès.

Il existe des occasions de gagner de l'argent tout autour de vous. Ce cours a été conçu pour vous aider à les reconnaître et pour vous informer quant à la façon de les exploiter, une fois découvertes.

QUI PEUT PROFITER LE PLUS AVANTAGEUSEMENT
DE LA PHILOSOPHIE DU LIVRE
LES LOIS DU SUCCÈS?

LES DIRIGEANTS DES TRANSPORTS PUBLICS qui désirent un meilleur esprit de coopération entre leurs agents et le public.

LES EMPLOYÉS qui veulent augmenter leurs revenus et trouver des débouchés plus avantageux.

LES VENDEURS qui souhaitent exceller dans leur domaine. La philosophie transmise dans *Les Lois du Succès* touche chaque loi connue de la vente et inclut plusieurs caractéristiques novatrices et uniques que vous ne trouverez dans aucune formation.

LES DIRIGEANTS DE COMPLEXES INDUSTRIELS qui comprennent la valeur d'une plus grande harmonie entre leurs employés.

LES NÉGOCIANTS qui veulent développer leurs affaires en ciblant de nouvelles clientèles. La philosophie enseignée dans *Les Lois du Succès* les aidera à accroître leurs affaires tout en leur apprenant comment rendre chaque client propagateur de la valeur de leur produit.

LES CONCESSIONNAIRES D'AUTOS souhaitant augmenter le pouvoir de vente de leurs vendeurs. Une grande partie du cours, *Les Lois du Succès,* fut développée à partir de la réussite et de l'expérience du plus grand vendeur d'autos, monsieur Ford. C'est donc une aide peu commune pour le gérant des ventes qui dirige les efforts de ses vendeurs.

LES AGENTS D'ASSURANCE-VIE qui veulent ajouter de nouveaux bénéfices à leur police et augmenter la couverture de leurs contrats actuels. Un agent d'assurance-vie vendit une police de 50 000$ à l'un des administrateurs de la *Central Steel Company*, suite à la lecture de la leçon précisant comment tirer profit de ses insuccès. Le même vendeur devint l'une des étoiles montantes du personnel de la *New York Life Insurance Company*, suite à son entraînement avec Les Lois du Succès.

LES ENSEIGNANTS qui veulent maximiser le potentiel de leur profession ou trouver une occasion pour entrer dans le domaine plus rentable des affaires comme seconde carrière.

LES ÉTUDIANTS du secondaire et du collégial qui n'ont pas encore choisi leur orientation professionnelle. Le cours, *Les Lois du Succès,* se veut un guide d'orientation personnelle précieux pour les aider à déterminer la nature du travail qui leur conviendrait le mieux.

LES BANQUIERS qui veulent accroître leurs affaires en développant de nouvelles approches pour offrir un meilleur service à leur clientèle.

LES EMPLOYÉS DE BANQUE qui souhaitent gravir les échelons et se préparer adéquatement à des postes cadres du domaine bancaire ou de tout autre domaine commercial ou industriel.

LES PROFESSIONNELS DE LA SANTÉ qui souhaitent accroître leur clientèle tout en préservant les règles de l'éthique leur interdisant la publicité directe.

LES PROMOTEURS qui veulent développer de nouvelles associations encore inexploitées dans les affaires ou l'industrie. Le principe décrit dans cette lecon préliminaire a, semble-t-il, fait réaliser une petite fortune à un homme qui l'utilisa comme base d'une promotion de biens fonciers.

LES COURTIERS EN IMMOBILIER qui veulent développer de nouvelles méthodes de promotion. Cette leçon d'introduction contient la description d'un projet immobilier novateur qui assurera le succès aux audacieux qui la mettront en application. Ce plan peut se concrétiser dans plusieurs régions et être mis de l'avant par des novices dans le domaine.

LES AGRICULTEURS qui veulent développer de nouvelles méthodes de mise en marché de leurs produits pour en tirer un meilleur profit. Ceux qui possèdent des terres, propres au lotissement, pour en promouvoir la vente selon le plan proposé à la fin de cette leçon préliminaire. Des milliers de fermiers ont des mines d'or endormies dans leur terre stérile qui pourraient être utilisées pour la détente et le tourisme, générant ainsi des profits considérables.

LES EMPLOYÉS DE BUREAU qui recherchent un plan concret pour gravir des échelons plus lucratifs. Ce cours est le mieux conçu pour le marketing des services personnels.

LES IMPRIMEURS ET LES PUBLICISTES qui désirent un élargissement du volume de leur commerce et une rentabilité accrue par une meilleure coopération de leurs employés.

LES JOURNALIERS qui ont l'ambition d'avancer dans des positions plus responsables, dans un travail qui comporte de plus grandes responsabilités et offre conséquemment un meilleur salaire.

LES HOMMES DE LOI qui veulent étendre leur clientèle en employant des méthodes éthiques irréprochables qui renforceront leur réputation auprès des gens cherchant des services légaux.

LES DIRECTEURS D'ENTREPRISES qui veulent développer leurs affaires ou qui veulent maintenir leur volume actuel avec moins de frais par une plus grande coopération entre leurs employés.

LES PROPRIÉTAIRES DE COMMERCES qui veulent étendre leurs affaires en enseignant à leurs employés comment servir avec plus de courtoisie et de compétence.

LES AGENTS GÉNÉRAUX EN ASSURANCE-VIE qui veulent des organisations de vente plus importantes et plus performantes.

LES GÉRANTS DE MAGASINS À SUCCURSALES MULTIPLES qui désirent une plus grande efficacité des vendeurs afin d'obtenir un plus grand volume d'affaires.

LES COUPLES malheureux dont l'union ne réussit pas à cause d'un manque d'harmonie et de coopération.

À tous ceux que je viens d'énumérer dans cette classification, la philosophie enseignée dans *Les Lois du Succès* offre une aide assurée et rapide.

RÉSUMÉ DU CERVEAU COLLECTIF

Le but de ce résumé est d'aider l'étudiant à maîtriser l'idée centrale autour de laquelle la leçon a été développée. Ce pivot est le principe du génie organisateur qui a été décrit avec de nombreux détails tout au long de la leçon, car toutes les idées nouvelles, spécialement celles qui sont abstraites, ne s'ancrent dans notre esprit qu'après un long processus répétitif.

Toutes les nouvelles idées, spécialement celles de nature abstraite, se positionneront confortablement dans l'esprit humain seulement après plusieurs répétitions. Il s'agit là d'une vérité dont tient compte la répétition dans ce résumé, du principe connu sous le nom de génie organisateur (cerveau collectif).

Un génie organisateur ne peut se développer que dans une union amicale, lorsque deux esprits ou plus communiquent avec l'intention d'harmoniser leurs objectifs. Chaque regroupement d'esprits, qu'il soit harmonieux ou non, développe un autre esprit qui affecte tous les participants du groupe. Le contact entre les esprits crée immanquablement un autre esprit, mais cette création invisible n'est pas toujours un génie organisateur. Il peut arriver, trop souvent hélas, que la rencontre génère une puissance négative qui est à l'opposé du génie organisateur. Certains esprits, en effet, sont incapables de s'unir dans un esprit d'harmonie.

> **Un but dans la vie est la seule fortune qu'il vaille la peine d'acquérir.**
>
> **Nous ne la trouverons pas en terre étrangère, mais dans notre propre coeur.**
>
> **- *Robert Louis Stevenson***

Certains esprits, tel qu'il a été cité dans toute cette leçon, ne sont réellement pas faits pour se fusionner dans l'harmonie. Une analogie de ce principe se retrouve dans la chimie.

Par exemple, ce principe d'incapacité à s'unir harmonieusement a une analogie comparable en chimie : la formule H_2O (signifiant la combinaison de deux atomes d'hydrogène avec un atome d'oxygène) transforme ces deux éléments en eau. Un atome d'hydrogène et un atome d'oxygène ne produiront pas d'eau; qui plus est, ils ne pourront être associés!

Plusieurs éléments connus, tout à fait inoffensifs, se transforment immédiatement en poisons mortels lorsqu'ils sont combinés, tout comme plusieurs poisons mortels sont neutralisés et rendus inoffensifs lorsque combinés avec certains autres éléments. Il en va de même pour les esprits humains : tout comme la combinaison de certains éléments change totalement leur nature, l'association de certains esprits transforme également leur nature, produisant soit un certain degré de génie organisateur, ou son contraire, hautement destructeur.

Pour certains esprits, l'harmonisation, donc l'union en génie organisateur, est tout à fait impossible à réaliser, une réalité que tout leader devrait retenir. C'est d'ailleurs à lui que revient la responsabilité de placer, aux niveaux les plus stratégiques de son organisation, des individus qui peuvent et veulent s'unir dans un esprit amical et harmonieux : cela constitue la principale qualité d'un leader.

Dans la deuxième leçon de ce cours, vous découvrirez que c'est ce talent qui engendra la puissance et la fortune de Andrew Carnegie. Ne connaissant rien à la technique utilisée dans les aciéries, il combina et groupa les hommes dont était composé son génie organisateur, de sorte qu'il mit sur pied l'industrie de l'acier la plus connue au monde.

Le succès gigantesque de Henry Ford peut être relié à l'application réussie de ce même principe. Malgré toute sa confiance en lui, Ford ne dépendait pas que de lui-même pour ses connaissances en relation avec le développement de ses industries. Comme Carnegie, il a su s'entourer d'alliés qu'il avait sagement choisis. Il s'agissait d'individus qui fournissaient la connaissance que lui-même ne possédait pas et ne voulait posséder. De plus, Ford choisissait des personnes qui pouvaient s'harmoniser dans un effort de groupe.

Les associations les plus efficaces, celles qui ont généré la création du principe du génie organisateur, se sont développées à partir de la collaboration de plusieurs esprits d'hommes et de femmes. L'union homme-femme crée plus facilement l'harmonie que les seuls esprits masculins. En outre, le stimulus additionnel du contact sexuel entre souvent dans le développement d'un génie organisateur composé d'un homme et d'une femme.

La voie du succès est habituellement entravée par de multiples influences qui doivent être enrayées avant d'atteindre votre objectif. L'un de ces obstacles les plus corrosifs est l'union néfaste avec des esprits qui ne s'harmonisent pas. Si cette association n'est pas inter- rompue, c'est l'échec assuré.

Si vous maîtrisez les six peurs fondamentales, dont l'une est la peur de la critique, vous n'hésiterez pas à prendre une décision qui peut sembler radicale pour un esprit conventionnel. Il est un million de fois préférable de faire face à la critique que de la laisser nous tirer vers l'abîme de l'échec et de tomber dans l'oubli, dû au résultat d'alliances sans harmonie, qu'elles soient de nature professionnelle ou personnelle.

Certains esprits ne peuvent tout simplement pas s'unir dans une intention d'harmonie, ou être forcés à le faire, à cause de la nature chimique de leurs cerveaux. Ne soyez donc pas trop rapide à imputer toute la responsabilité du manque d'harmonie à l'autre partie de votre association, car le problème peut venir de *votre propre cerveau!*

> # Si vous êtes dans l'incapacité de faire de grandes choses, permettez-vous de faire de petites choses comme le font les grands.

Rappelez-vous qu'un esprit qui ne peut pas et ne veut pas s'harmoniser avec certaines personnes peut s'unir parfaitement avec d'autres types d'esprits. Ce constat a transformé radicalement l'approche concernant les méthodes d'embauche dans les compagnies. Un employeur ne congédie plus quelqu'un sous prétexte qu'il ne donne pas satisfaction au poste attribué. Il essaie plutôt de le relocaliser dans une autre fonction, ce qui s'est avéré efficace plus d'une fois. Les employés « marginaux » peuvent parfois exceller quand on sait les placer au bon endroit!

Assurez-vous d'avoir bien saisi le principe du génie organisateur avant de passer aux autres leçons du cours, car l'enseignement qui en découle est étroitement associé à la loi du fonctionnement de l'esprit. Si vous n'êtes pas sûr d'en comprendre le mécanisme, analysez la carrière de toute personne ayant accumulé une grande fortune et vous constaterez qu'elles ont toutes - consciemment ou inconsciemment - utilisé le principe du génie organisateur.

Quelque soit le temps que vous preniez pour votre réflexion et contemplation de la loi du cerveau collectif, ce temps est d'une richesse infinie, car une fois que vous maîtrisez cette loi et appris de quelle façon l'appliquer, de nouvelles opportunités s'offriront à vous.

Toute organisation de vente peut utiliser efficacement la loi du génie organisateur par des groupements de deux ou plusieurs agents qui s'allieront dans un esprit de coopération amicale pour appliquer cette loi.

Un agent d'une marque d'automobiles bien connue qui employait douze vendeurs fractionna son organisation en six groupes de deux vendeurs, dans le but d'appliquer la loi du génie organisateur, ce qui eut comme résultat d'établir de nouveaux records de ventes. De plus, ils créèrent un club appelé « L'auto de la semaine », signifiant que chaque membre s'engageait à vendre en moyenne une auto par semaine. Les résultats de cet effort furent des plus concluants!

Une liste de cent acheteurs éventuels fut donnée à chaque vendeur qui posta une carte postale hebdomadaire à chaque acheteur potentiel décrivant un seul avantage de la voiture proposée et sollicitant une entrevue personnelle. De plus, chacun plaça un appel personnel quotidien à un minimum de dix d'entre eux. Les entrevues et les ventes, par ricochet, augmentèrent rapidement! Cette stratégie de vente injecta une nouvelle vitalité dans l'organisation entière en plus d'augmenter le résultat hebdomadaire des ventes de chaque agent.

Un plan similaire pourrait être adopté d'une manière efficace par les agences d'assurance-vie. Tout directeur déterminé pourrait facilement doubler ou même tripler le total des transactions tout en maintenant le même nombre de vendeurs. Il faudrait tout au plus modifier le nom du club pour le nommer « La police de la semaine », où chaque agent s'engagerait à vendre au moins une police d'assurance, au montant minimum convenu, à chaque semaine.

L'étudiant de ce cours qui a maîtrisé la seconde leçon (un but clairement défini) et qui comprend comment appliquer les principes de base sera apte à appliquer le plan décrit beaucoup plus efficacement.

Il n'est pas suggéré ni voulu que quiconque n'entreprenne d'appliquer les principes de cette leçon avant d'avoir maîtrisé au moins les cinq prochaines leçons du cours *Les Lois du Succès*.

Le groupe de vendeurs d'automobiles cité en exemple précédemment se rencontrait pour le petit-déjeuner et discuter une fois la semaine. La rencontre d'une heure et demie portait sur la manière et les moyens d'appliquer les principes de ce cours, ce qui permit à chacun de profiter des idées des autres membres de l'organisation.

Deux tables étaient dressées lors de cette rencontre : l'une où se trouvaient ceux qui avaient gagné le droit de faire partie du club « L'auto de la semaine » et l'autre, dont la vaisselle était en étain plutôt qu'en porcelaine, où étaient regroupés ceux qui n'ayant pas performé, n'étaient pas autorisés à être membres du club. Ces derniers, il va sans dire, faisaient l'objet de railleries bienveillantes de la part des membres plus heureux, assis à l'autre table.

Il est donc possible de modifier ce plan à l'infini, que ce soit pour vendre des automobiles ou n'importe quel autre produit. La justification de son usage est qu'il est *payant*! Non seulement pour le directeur ou le gérant de l'organisation, mais aussi pour chaque vendeur impliqué.

J'ai brièvement décrit ce projet pour vous montrer comment utiliser de façon pratique les principes décrits dans ce cours. La pierre angulaire de toute théorie, règle ou principe, c'est son efficacité. La loi du génie organisateur démontre sa valeur par son efficacité.

Si vous comprenez cette loi, vous êtes alors prêt pour la deuxième leçon *Un but clairement défini*, dans laquelle vous serez initié plus en profondeur à l'application des principes décrits dans cette première leçon.

Le meilleur rosier,

après tout,

n'est pas celui

qui a le moins d'épines,

mais celui qui porte les plus belles roses.

- Henry van Dyke

« Qui a dit que cela

ne pouvait être fait?

Et quelles grandes victoires

s'attribue-t-il,

qui lui permettent de juger

des autres avec précision? »

- Napoleon Hill

LEÇON 2

UN BUT CLAIREMENT DÉFINI

ॐ **Vous pouvez y arriver, si vous y croyez.** ॐ

Vous amorcez un cours de philosophie qui innove, car c'est la première fois que sont décrits les éléments connus qui furent utilisés par des gens à qui le succès a souri. La formulation des principes et des lois se veut simple et accessible, quel que soit votre métier.

Le style littéraire a été complètement assujetti afin que je puisse émettre les principes et les lois de ce cours de façon telle qu'ils puissent être facilement assimilés par les gens de toutes les classes sociales.

Certains principes vous seront familiers, alors que d'autres vous seront exposés pour la première fois. Vous devriez garder en mémoire, de la première à la dernière leçon, que la valeur de cette philosophie repose entièrement sur la stimulation de la pensée ainsi produite dans votre esprit. Ce cours se veut un stimulant afin que vous organisiez et dirigiez mieux les forces de votre esprit vers une fin déterminée, exploitant ainsi la puissance prodigieuse que la plupart des gens perdent dans une pensée irrégulière, sans but.

Avoir un *but clairement défini* est essentiel au succès quel que soit votre définition du succès. Également, être en possession d'un tel facteur de réussite peut, et c'est généralement le cas, ramener la pensée sur des sujets connexes.

J'ai parcouru une longue distance pour voir Jack Dempsey s'entraîner pour son combat. Pour sa mise en forme, il ne s'était pas contenté d'un seul genre d'exercices, mais en avait combiné plusieurs : le sac de sable, pour développer certains muscles et entraîner son oeil à la rapidité de mouvement; les haltères, pour faire travailler un autre groupe de muscles; la course, pour développer les muscles des jambes et des hanches; une diète bien équilibrée, pour constituer des muscles sans gras; un sommeil approprié, de la relaxation et de saines habitudes de vie visant à le rendre vainqueur.

Vous devriez, vous aussi, amorcer votre entraînement vers l'atteinte de votre réussite comme s'il s'agissait de livrer le combat de votre vie. Pour gagner, vous devez être attentif à plusieurs éléments : développer un esprit bien organisé, alerte et énergique grâce à diverses stimulations qui sont clairement décrites dans ces leçons. Pour un développement maximal, l'esprit a besoin d'une variété d'exercices, tout comme le corps qui exige plusieurs formes de mouvements systématiques.

Les entraîneurs équestres dressent les chevaux en leur faisant sauter des obstacles afin de développer le pas désiré, par l'habitude et la répétition de l'exercice. L'esprit humain doit être entraîné de façon similaire, par une variété de stimulations inspirantes.

Vous constaterez, avant même d'être rendu très loin dans l'étude de cette philosophie que le fait de lire ces leçons provoque un flot de pensées couvrant un large éventail de sujets. C'est pourquoi vous devriez avoir un carnet de notes et un stylo à portée de main pour écrire ces pensées ou idées lorsqu'elles se présenteront. Après deux ou trois relectures de ce cours, vous obtiendrez ainsi une liste d'idées qui favoriseront la transformation radicale de votre plan de vie.

En mettant cette philosophie en pratique, votre esprit deviendra comme un aimant, attirant des idées utiles, semblant venir de « nulle part », pour utiliser les mots d'un scientifique réputé ayant expérimenté ce principe pendant plusieurs années.

COMMENTAIRE

Depuis le temps où M. Hill a écrit ces mots, des recherches considérables ont été faites sur la créativité, l'intuition et les styles de techniques de pensée. Dans presque tous les cas, des livres écrits sur ces sujets tendent à supporter la théorie de M. Hill à l'effet que le fait d'écrire vos pensées et vos rêves précipite l'esprit humain à faire des bonds d'imagination et crée spontanément des idées originales. Ceci a donc ouvert la porte à la création d'un nouveau style de livres, le journal personnel.

Si vous désirez en explorer davantage les possibilités, vous pouvez trouver les livres suivants intéressants : The Intuitive Edge *de Phillip Goldberg,* The Right Brain Experience *de Marilee Zdenek,* Creative Dreaming *de Patricia Garfield et* Writing *the Natural Way de Gabriele Rico. Les livres à propos de méthodes de penser incluent plusieurs œuvres de Tony Buzan et une grande collection* ds bestsellers influents *écrits par Edward de Bono. Des livres qui traitent de la tenue d'un journal incluent celui de Natalie Goldberg,* Writing down the bones *et également* At a Journal Workshop *par Ira Progoff ainsi que* The Artist's Way *de Julia Cameron.*

C'est sous-estimer la portée de ce cours de croire que vous n'avez pas besoin de plus de connaissances que vous n'en possédez déjà. Personne n'en connaît suffisamment pour s'autoriser cette impression d'avoir le dernier mot sur un sujet donné.

Dans la longue et pénible tâche où j'ai tenté de balayer un peu de ma propre ignorance pour faire place à certaines vérités essentielles de la vie, j'ai souvent imaginé le Grand Marqueur qui écrivait à la porte d'entrée de la Vie : « Pauvre fou! » sur le front de ceux qui se croyaient sages et « Pauvre pécheur! » sur le front de ceux qui se croyaient saints. Nos connaissances sont donc limitées et le resteront, puisque c'est la nature de l'être humain : nous n'en saurons jamais assez pour jouir pleinement de la vie.

L'humilité est un précurseur du succès!

Seule l'humilité de nos cœurs nous rendra aptes à profiter pleinement des expériences et des pensées des autres. Vous me trouvez moralisateur? Eh bien, qu'est-ce que ça change? Même les sermons arides peuvent être bénéfiques s'ils servent à refléter l'ombre de notre véritable identité pour nous amener à avoir une idée approximative de notre insignifiance et de notre superficialité.

Bien connaître la façon de penser et le comportement des gens qui nous entourent est assurément un gage de réussite dans la vie.

Le meilleur endroit pour étudier l'homme-animal est dans votre propre esprit, en dressant de *vous-même* un inventaire aussi exact que possible. Quand vous vous connaîtrez parfaitement (si vous y arrivez), vous en saurez aussi beaucoup sur les autres. Pour connaître vos semblables, non comme ils semblent être, mais comme ils sont réellement, étudiez-les à travers:

1. L'attitude de leur corps et leur façon de marcher;
2. Le timbre, la qualité, la portée et le volume de leur voix;
3. Leurs yeux, fuyants ou directs;
4. La qualité de leur langage, leur façon de s'exprimer.

À travers ces fenêtres ouvertes, vous pourrez littéralement « entrer directement dans l'âme d'un individu » et jeter un regard sur l'être véritable! Pour aller un peu plus loin dans votre connaissance d'autrui, analysez-les:

- Quand ils sont en colère;
- Quand ils s'aiment;
- Quand l'argent est impliqué;
- Quand ils mangent lorsqu'ils se croient seuls et hors de vue;
- Quand ils écrivent;
- Quand ils ont des problèmes;
- Quand ils sont joyeux et vainqueurs;
- Quand ils sont tristes et vaincus;
- Quand ils font face à un désastre;
- Quand ils tentent de faire bonne impression;
- Quand ils apprennent l'infortune d'un autre;
- Quand ils sont informés de la chance d'un autre;
- Quand ils perdent ou gagnent dans les sports.

Avant de penser connaître quiconque réellement, vous devez l'observer dans toutes ces dispositions, et peut-être plus, ce qui équivaut à dire que vous n'avez aucun droit de juger les autres sur les apparences. Elles comptent, cela ne fait aucun doute, mais elles sont décevantes.

Ce cours a été conçu afin de faire votre propre « inventaire » et celui d'autrui par des méthodes exemptes de « jugements hâtifs ».

Si vous maîtrisez les principes de cette philosophie, vous pourrez voir au-delà des apparences, des vêtements, de la soi-disant culture et d'autres préjugés semblables. Vous serez apte à voir au plus profond du coeur de ceux qui vous entourent.

Cette promesse se veut très vaste! Je ne l'aurais pas formulée si je n'avais pas été convaincu, grâce à des années d'expérimentations et d'analyses, qu'elle pouvait être honorée.

Après avoir lu les manuscrits de ce cours, certains m'ont demandé pourquoi je ne l'avais pas intitulé : Cours de maîtrise sur l'art de la vente. La réponse réside dans le fait que ces mots, *art de la vente*, sont communément associés à la mise en marché de biens ou de services et, en conséquence, cela aurait réduit et circonscrit la nature réelle de cet enseignement. Il est vrai qu'il traite de la maîtrise de l'art de la vente, mais dans un sens très large.

Tout le monde n'est pas constitué de façon telle à souhaiter connaître la vérité à propos de tout ce qui virtuellement affectera leur vie. Une de mes grandes surprises en rapport avec mes recherches, c'est qu'il y a peu de gens désireux d'entendre la vérité, lorsqu'elle témoigne de leurs faiblesses.

Ils préfèrent les illusions aux réalités!

Les nouvelles vérités que je vous présente sont parfois reçues avec une certaine réserve. C'est pourquoi la leçon préliminaire et celle-ci couvrent des sujets destinés à préparer la voie à ces nouvelles idées pour qu'elles ne provoquent pas un choc trop grand dans votre esprit. L'idéologie à laquelle je souscris fut commentée ainsi dans un éditorial de l'*American Magazine*:

« Lors d'une récente nuit pluvieuse, Carl Lomen, le roi des rennes de l'Alaska, me raconta cette histoire vécue qui me trotte dans la tête depuis ce temps-là et que je tiens à vous raconter.

« Un Inuit du Groëland, me dit Lomen, participa à une expédition navale au Pôle Nord, il y a un certain nombre d'années.

Plus tard, en guise de récompense pour ses fidèles services, on lui fit visiter New York qui l'émerveilla par le miracle visuel et sonore qui s'offrait à lui. Quand il revint dans son village natal, il raconta des histoires d'édifices dressés dans le ciel, de tramways grands comme des maisons qui voyageaient le long des routes avec des gens qui circulaient à l'intérieur, de ponts géants, de lumières artificielles et de tous les autres phénomènes éblouissants de la métropole.

« Les gens de sa communauté le regardèrent froidement et s'éloignèrent de lui. Par la suite, tout le village le surnomma 'Sagdluk', ce qui signifie 'le menteur'. Il porta honteusement ce quolibet jusque dans sa tombe. Bien avant sa mort, son nom véritable avait été entièrement oublié.

« Quand Knud Rasmussen se rendit du Groëland à l'Alaska, il était accompagné par un Inuit du Groëland nommé Mitek (Eider Duck). Ce dernier visita Copenhague et New York, où il vit une multitude de nouveautés qui l'impressionnèrent grandement. Quand il revint chez lui, il se souvint de la tragédie de Sagdluk et décida qu'il serait plus sage de raconter des toushistoires que son peuple comprendrait et ainsi conserver sa réputation.

« Ainsi, il leur raconta comment lui et le docteur Rasmussen avaient maintenu un kayak sur les rives d'un grand fleuve, le Hudson, et comment, chaque matin, ils pagayaient pour aller à la chasse aux canards, aux oies et aux phoques qu'ils avaient capturés en grande quantité. Aux yeux de ses pairs, Mitek, était un homme honnête. Ses voisins le traitaient avec grand respect.

« La route de celui qui s'en tient à la vérité a toujours été rude : Socrate buvant à petites gorgées la ciguë, le Christ crucifié, Étienne lapidé, Bruno brûlé sur le bûcher, Galilée forcé de se rétracter sur ses brillantes découvertes. Ce chemin tortueux se poursuit à l'infini à travers les pages de l'Histoire. *Quelque chose propre à la nature humaine nous fait nous cabrer face à l'impact de nouvelles idées.* »

> # Personne n'est vraiment « éduqué »
> # s'il n'a pas au moins
> # « une connaissance manifeste »
> # de la loi de la compensation
> # telle que décrite par Emerson.

Nous détestons tous être confrontés en ce qui concerne les croyances et les préjugés qui nous ont été transmis avec le patrimoine familial. Arrivés à maturité, nous entrons trop souvent en période d'hibernation, comme un ours, vivant à même le gras de l'accoutumance et n'en sortons en grognant que si une nouvelle idée viole le confort de notre repaire.

Les Inuits, dans l'histoire de l'éditeur du magazine, avaient au moins l'excuse d'être incapables de se représenter les images étonnantes décrites par Sagdluk. Leur vie simple avait été trop longtemps limitée par la nuit arctique oppressante.

OUVREZ VOTRE ESPRIT

Mais il n'y a aucune raison valable pour que l'homme moyen ferme son esprit à des perspectives nouvelles sur la vie, mais curieusement, ils le font quand même. Rien n'est plus tragique - ou plus ordinaire - que l'inertie mentale. Pour chaque dizaine d'hommes physiquement paresseux, il y en a dix mille dont l'esprit est inactif. Et les esprits stagne. La peur s'y installe et s'approprie de l'espace inhabité.

Un vieux fermier du Vermont avait l'habitude de terminer ses prières en implorant le Seigneur de lui donner un esprit ouvert. Si plus de gens suivaient son exemple, ils pourraient éviter d'être paralysés par les préjugés.

Comme il ferait bon alors de vivre sur cette terre!

Chacun devrait se faire un devoir de s'alimenter à des sources variées et différentes de son environnement habituel dans lequel il vit et travaille, sinon l'esprit se ferme, se dessèche, devient inactif et borné.

La personne vivant à la campagne devrait venir à la ville plus souvent pour faire de nouvelles rencontres et frayer entre les grands édifices. Elle en reviendrait vivifiée, plus audacieuce et enthousiaste. Le citadin devrait se rafraîchir l'esprit plus souvent à la campagne en contemplant des panoramas différents de ceux qui sont associés à son labeur quotidien.

Périodiquement, nous avons tous besoin de changement pour équilibrer notre énergie mentale, tout comme une alimentation variée est essentielle à l'équilibre de notre corps. L'esprit devient ainsi plus alerte, plus souple et plus apte à travailler avec célérité et précision une fois qu'il s'est frotté à de nouvelles idées, différentes du contexte habituel.

En tant que nouvel étudiant de ce cours, je vous invite à mettre temporairement de côté les idées qui vous sont familières dans votre travail quotidien pour vous plonger dans un domaine d'idées entièrement nouvelles. Vous obtiendrez ainsi une nouvelle réserve d'idées qui décupleront votre efficacité, votre enthousiasme et votre courage, peu importe le travail que vous accomplirez.

Splendide! Vous ressortirez à la fin de ce cours avec un nouveau bagage d'idées qui vous rendront plus efficace, plus enthousiaste et plus courageux, *quel que soit le genre de travail dans lequel vous êtes engagé.*

Ne soyez pas effrayé par les nouvelles idées, car elles peuvent faire pour vous la différence entre le succès et l'échec. Certaines idées introduites dans ce cours ne nécessiteront aucune explication supplémentaire ou preuve de leur exactitude parce qu'elles vous sont familières. D'autres, par contre, qui sont nouvelles, peuvent susciter un rejet de prime abord.

J'ai personnellement mis à l'épreuve chacun des principes énoncés dans ce cours et la majorité ont été testés par nombre de spécialistes aptes à distinguer entre la théorie et la pratique. Il en résulte que ces principes sont tous applicables et accessibles de la façon exacte dont ils sont présentés. Vous êtes toutefois libre de vous en convaincre vous-même par l'expérimentation de tests et d'analyses.

La plus grande erreur que je vous demande d'éviter c'est de vous former des opinions sans détenir tous les faits. Cela m'amène à penser au célèbre avertissement de Herbert Spencer : « *Il y a un principe qui s'oppose à toute information, qui constitue la preuve contre tout argument et qui maintient l'homme dans une ignorance éternelle. Ce principe est le dédain avant l'examen.* »

Je vous suggère de garder ce principe en mémoire quand vous étudierez la loi du génie organisateur. Elle renferme un élément entièrement nouveau concernant l'opération de l'esprit, ce qui vous la rendra plus difficile à accepter tant que vous ne l'aurez pas expérimentée.

Toutefois, comme cette loi est considérée comme la base réelle de la plupart des réalisations des personnes de génie, elle nécessite plus que des « jugements hâtifs ». Plusieurs scientifiques, dont j'ai recueilli les propos, croient que cette loi constitue la base des plus importantes réalisations résultant d'un effort de groupe ou de coopération.

Alexander Graham Bell croyait que la loi du génie organisateur, telle que décrite dans cette philosophie, serait un jour enseignée comme partie intégrante des cours de psychologie universitaires.

Charles P. Steinmetz disait qu'il avait expérimenté cette loi et en était arrivé aux mêmes conclusions que les miennes bien avant que nous échangions sur le sujet. Luther Burbank et John Burroughs firent des déclarations similaires !

Edison ne fut jamais interrogé sur la loi du génie organisateur, mais certains de ses énoncés indiquaient qu'il y souscrivait comme étant une possibilité, sinon un fait réel.

Le docteur Elmer Gates, un savant de haut niveau au même titre que Steinmetz, Edison et Bell, adhérait déjà à cette loi et c'est ce qu'il me confirma lors d'une conversation.

Plusieurs hommes d'affaires intelligents, même s'ils ne sont pas des scientifiques, avec qui je me suis entretenu ont admis le bien-fondé de cette loi du cerveau collectif. Il est donc normal que des gens dotés d'une habileté moindre fassent d'abord une recherche sérieuse et systématique avant de porter un jugement sur son efficacité.

> ## D'une façon générale,
> ## « obtenir quelque chose pour rien »
> ## n'existe pas.
> ## À la longue, vous recevez exactement
> ## ce pour quoi vous payez,
> ## que vous achetiez une voiture ou
> ## une miche de pain.

COMMENTAIRE

Récapitulons : un cerveau collectif consiste en un état mental qui est développé par une coopération harmonieuse de deux personnes ou plus qui s'allient dans le but d'accomplir une tâche désignée. Le cerveau collectif exploite l'effort engagé d'un groupe de personnes, regroupe leurs ressources autant les tangibles que les intangibles et crée un nouveau tout plus grand que la somme de ses parties.

Un cerveau collectif fonctionne (ou devrait fonctionner) avec les membres du bureau de direction de grandes corporations internationales. Il fonctionne parmi un groupe d'ingénieurs dessinant une nouvelle voiture. Il fonctionne à la production d'un film, de la conduite d'une campagne politique, ou du lancement d'une stratégie publicitaire. Un cerveau collectif démarre lorsqu'une église met sur pied un projet de levée de fonds, lorsqu'un groupe de voisins s'organise pour améliorer la sécurité du voisinage, et lorsqu'un couple s'engage l'un envers l'autre pour la vie par les liens du mariage.

Un cerveau collectif ne consiste pas seulement en un travail d'équipe. Les gens peuvent travailler ensemble en équipe simplement parce qu'ils apprécient leur leader, ou parce qu'ils sont payés pour y participer. Mais dans l'alliance d'un cerveau collectif, chaque membre doit être passionnément engagé vers un même but.

Voici un bref aperçu de la façon dont la présente leçon agira en vous. Ayant étudié dans le but de devenir avocat, je vous offre d'abord cette introduction en guise de déposition. La preuve appuyant ma cause vous sera présentée dans les dix-sept leçons de ce cours. Les faits recueillis pour étayer chacune d'elles sont le fruit de plus de vingt-cinq années d'expérience professionnelle.

Avant la publication du cours, *Les lois du Succès*, les manuscrits furent soumis à deux éminentes universités pour être lus et corrigés par des professeurs compétents qui élimineraient ou corrigeraient toute affirmation erronée sur le plan économique : aucun changement de fond ne fut apporté. L'un des réviseurs ajouta: « C'est une tragédie que chaque élève de niveau secondaire ne soit exposé aux lois de votre cours. Il est regrettable que l'université où j'enseigne, ainsi que toutes les autres, n'incluent pas votre cours comme faisant partie de leur programme. »

Étant donné que ce cours fut intentionnellement conçu comme une carte ou un plan pour vous guider dans la réalisation de votre but, qui est de réussir, il conviendrait alors d'en définir le sens :

*Le succès réside dans le développement de la puissance
avec laquelle nous pouvons obtenir tout ce que nous souhaitons dans
la vie, et cela, sans porter atteinte aux droits d'autres personnes.*

Je voudrais insister particulièrement sur le mot « **puissance** », car il est indissociablement rattaché au succès. Nous vivons dans un monde extrêmement compétitif où la loi de la compétence prédomine. C'est pourquoi vous devez viser l'atteinte d'un succès durable en actualisant l'utilisation de la puissance.

Mais en quoi consiste donc la *puissance*?

La puissance, c'est l'énergie ou l'effort organisé. Ce cours est intitulé *Les Lois du Succès* parce qu'il enseigne comment organiser les *faits*, la *connaissance* et les *facultés de l'esprit* en une unité de puissance.

Ce cours vous fait une promesse inconditionnelle : une fois ces principes maîtrisés et appliqués, vous pourrez obtenir tout ce que vous souhaitez, la seule restriction étant que cela reste dans les limites du raisonnable. Cette qualification tient compte de votre éducation, de votre sagesse ou absence de sagesse, de votre endurance physique, de votre tempérament et de toutes les autres qualités mentionnées dans les dix-sept leçons de ce cours comme étant les facteurs les plus essentiels à l'atteinte du succès.

Les gens qui ont connu un succès inhabituel ont tous utilisé, sans aucune exception, consciemment ou inconsciemment, l'ensemble ou une partie des lois de ce cours. Si vous en doutez, alors, maîtrisez les dix-sept leçons afin d'en faire l'analyse avec une exactitude raisonnable. Observez la vie de Carnegie, Rockefeller, Hill, Harriman, Ford et d'autres du même calibre, qui ont accumulé de grandes richesses matérielle et vous réaliserez qu'ils avaient tous appliqué le principe de l'*effort organisé*.

COMMENTAIRE

Quiconque a déjà participé à un « cercle de qualité » au travail connaît le fonctionnement d'un génie organisateur dans le monde des affaires. Les équipes d'assemblage qui ont remplacé les lignes d'assemblage dans les manufactures les plus modernes et les plus productives reflètent le même usage du cerveau collectif.

Stephen Covey, auteur du livre Les 7 habitudes des gens efficaces parle de cerveau collectif lorsqu'il écrit à propos de la « personne interdépendante ». Selon lui : « En tant que personne interdépendante, nous avons accès aux vastes ressources et au potentiel de d'autres êtres humains. »

Dennis Connor, le récipiendaire de deux coupes America, en courses à voile, exprime sa philosophie du travail d'équipe qui est une parfaite expression du cerveau collectif, en mettant l'emphase sur le pouvoir de l'engagement et de l'implication envers une tâche. Dans son livre, The Art of Winning, *Dennis Connor apporte une explication éclairée sur la façon dont il a utilisé le pouvoir d'un cerveau collectif pour créer une équipe gagnante.*

Des cuisines d'un restaurant aux équipes de football, des manufactures aux laboratoires scientifiques, le cerveau collectif exploite le pouvoir potentiel d'un groupe d'esprits concentrés vers un même but. Pouvez-vous vous permettre d'ignorer cette ressource de grande valeur dans votre quête pour le succès?

Si vous pouvez perdre une course

sans en blâmer quiconque d'autre,

vous avez de brillantes perspectives

de succès sur la route de la vie.

QUE VOULEZ-VOUS DIRE PAR SUCCÈS?

J'ai déjà eu l'occasion d'interviewer Dale Carnegie dans le but d'écrire un article à son sujet. Voici ce qu'il me répondit en me gratifiant d'un clin d'œil quand je lui demandai à quoi il attribuait son succès : « Jeune homme, avant de répondre à votre question, voulez-vous, s'il vous plaît, me définir le mot *succès*. »

Quand il perçut mon embarras, il poursuivit : « Quand vous parlez de succès, vous faites allusion à mon argent, n'est-ce pas? » Je confirmai que l'argent était en effet le terme par lequel la plupart des gens mesuraient le succès. Il rétorqua: «Eh bien, si vous voulez savoir comment j'ai obtenu mon argent, *si c'est ce que vous appelez le succès,* je répondrai à votre question en disant que nous avons un génie organisateur, dans notre entreprise : il est formé de plus d'une vingtaine d'hommes qui assurent mon soutien personnel: administrateurs, directeurs, comptables, chimistes et autres associés indispensables. Personne dans ce groupe n'est le génie organisateur dont je parle, mais la totalité de ces esprits coordonnés, organisés vers un *but déterminé,* oeuvrant dans un climat de coopération harmonieuse constitue la puissance qui me procure mon argent. Chacun agit au meilleur de ses compétences et il le fait mieux que quiconque. »

Cet entretien fit naître instantanément l'idée à partir de laquelle ce cours germa dans mon esprit, mais elle ne prit racine que plus tard. Cette entrevue marqua le début de mes recherches qui me conduisirent à la découverte du principe du génie organisateur. J'avais entendu les paroles de monsieur Carnegie, mais ce sont les nombreuses années de contacts fréquents avec le monde des affaires qui me fournirent les connaissances nécessaires me permettant d'assimiler ses propos et de saisir clairement le sens du principe sur lequel il s'appuyait et sur lequel j'édifiai ce cours : un simple *effort organisé.*

Le groupe de travail de Carnegie constituait un génie organisateur si bien amalgamé, si bien coordonné, si puissant, qu'il aurait pu accumuler des millions de dollars pour monsieur Carnegie dans à peu près n'importe quel genre d'entreprise, commerciale ou industrielle. Celle de l'acier, dans laquelle cet esprit était engagé, n'était qu'un choix fortuit, car ce génie organisateur aurait pu accumuler le même capital s'il avait dirigé son action dans une entreprise minière, bancaire ou dans un commerce d'alimentation, pour la simple raison que cet esprit était généré par *la puissance.* À votre tour d'obtenir cette forme de puissance une fois que *vous* aurez organisé les facultés de votre esprit et que vous vous serez rallié à d'autres esprits bien organisés dans la réalisation d'un *but clairement défini dans votre vie.*

Suite à l'élaboration de ce cours, je vérifiai auprès d'anciens associés de monsieur Carnegie qu'il existait bel et bien une loi du génie organisateur dans son entreprise et qu'elle constitua la principale source de son succès. Monsieur Charles. M. Schwab, qui le connaissait mieux que personne, me décrivit de façon très précise ce « petit quelque chose » dans la personnalité de monsieur Carnegie qui lui avait permis de s'élever à des sommets si prodigieux.

« C'était un homme exceptionnel, doté d'une imagination débordante, d'une intelligence vive et d'une compréhension instinctive! Vous sentiez qu'il explorait vos pensées et enregistrait tout ce que vous aviez déjà fait ou pouviez faire. Il semblait deviner votre prochaine parole avant même que vous l'ayez conçue. L'agilité de son cerveau était fascinante et son aptitude à observer si attentivement tout ce qui l'entourait lui procura une réserve de connaissances sur des sujets innombrables.

« Mais sa qualité exceptionnelle, son don naturel, résidait dans sa puissance à inspirer les autres. Sa confiance irradiait autour de lui. Si vous discutiez de certains doutes que vous ressentiez, il pouvait instantanément les dissiper ou en signaler les failles, ce qui vous revitalisait aussitôt. Cette aptitude à attirer les autres pour les stimuler ensuite constituait sa principale force.

« Les résultats de son leadership furent remarquables. Jamais auparavant, dans l'histoire de l'industrie, un homme n'avait pu construire un tel empire sans comprendre tous les détails mécaniques ni prétendre aux connaissances techniques concernant son domaine, l'acier ou l'ingénierie, qui fut capable de bâtir une telle entreprise. »

Cette dernière phrase de monsieur Schwab corrobore la théorie du génie organisateur à laquelle j'attribue la principale source de la puissance de monsieur Carnegie. M. Schwab confirme également que monsieur Carnegie aurait pu connaître la même réussite dans une autre entreprise que les aciéries. Il est évident que ce succès était dû à la compréhension qu'il avait de son propre esprit et de celui des autres, et non pas à la simple connaissance de l'entreprise de l'acier.

Cette théorie est des plus réconfortantes pour ceux qui n'ont pas encore réalisé un grand succès, car elle démontre que le succès est essentiellement une question d'application *adéquate* et *régulière* de certains principes et lois. Monsieur Carnegie avait appris comment appliquer la loi du génie organisateur, ce qui l'avait rendu apte à organiser les facultés de son esprit, de celles des autres et de coordonner le tout derrière un *but clairement défini*.

Tout stratège, qu'il s'agisse de la finance, de la guerre, de l'industrie ou d'autres métiers, comprend la valeur d'un effort coordonné, *organisé*. Le stratège militaire comprend l'importance de semer la discorde dans les rangs ennemis afin de briser leur puissance de coordination. Lors des deux grandes guerres, les effets de la propagande constituèrent une désorganisation beaucoup plus destructive que la puissance des fusils et des explosifs.

L'un des moments les plus décisifs de la première guerre mondiale se produisit quand les forces alliées furent placées sous la direction du maréchal français Ferdinand Foch. Certains historiens militaires prétendent que cette initiative signifia le destin funeste des armées ennemies.

Tout viaduc de chemin de fer illustre bien la valeur de l'*effort organisé*, car il démontre efficacement comment des milliers de tonnes peuvent être portées par un nombre relativement peu élevé de barres et de poutres d'acier placées de telle sorte que le poids soit réparti sur l'ensemble.

Il y avait une histoire à propos d'un père qui avait sept fils qui se querellaient sans cesse. Un jour, il les réunit pour leur montrer à quoi ressemblait leur manque d'effort coopératif. Il avait préparé un paquet de sept bâtons qu'il avait soigneusement attachés ensemble. À tour de rôle, il leur demanda de prendre la botte et de la casser. Chacun essaya en vain. Puis, il coupa les cordes, donna un bâton à chacun de ses fils, leur demandant de le briser sur le genou, ce qu'ils réussirent sans peine. Après quoi il leur dit: « Quand vous travaillez ensemble dans un esprit d'harmonie, vous ressemblez à la botte de bâtons et personne ne peut vous vaincre; mais quand vous vous querellez, n'importe qui peut vous vaincre, un à la fois. »

La leçon de ce père et de ses sept fils querelleurs peut s'appliquer aux membres de toute communauté, aux employés et employeurs de n'importe quel milieu de travail ou à toute nation de la planète.

Un effort organisé peut s'avérer être une puissance mais aussi un danger s'il n'est pas guidé intelligemment, comme le démontrera la seizième leçon de ce cours, principalement consacrée à décrire la façon de diriger la puissance de l'*effort organisé* vers un succès fondé sur la vérité, la justice et la bonne foi menant au *bonheur* ultime.

L'une des principales tragédies de notre époque, axée sur la soif d'argent, réside dans le fait que si peu de gens soient engagés dans le travail qui leur conviendrait le mieux. L'un des objectifs de ce cours est de vous aider à trouver votre voie dans le monde du travail, où *prospérité matérielle* et *bonheur* peuvent cohabiter harmonieusement. Pour atteindre ce but, les diverses leçons sont conçues pour vous permettre de dresser l'inventaire de vos dons et forces non encore exploités afin de réveiller en vous l'ambition, la vision et la détermination pour aller de l'avant et réclamer ce qui vous appartient de droit.

Avant le succès qui propulsa Henry Ford vers des sommets inégalés, il travaillait dans un atelier avec un compagnon plus compétent que lui. Cet homme continua le même genre de travail, avec des gains inférieurs à ses compétences, alors que Ford devint l'homme le plus riche du monde. La différence marquante, en termes de réussite matérielle, qui séparait ces deux hommes réside dans le fait que Ford avait compris et appliqué le principe de l'*effort organisé* alors que l'autre s'était contenté de bien faire son travail.

À Shelby, en Ohio, alors que j'écris ces lignes, pour la première fois dans l'Histoire, ce principe d'*effort organisé* est en voie de s'appliquer afin de rapprocher plus étroitement les églises et les entreprises de la communauté.

Les ecclésiastiques et les hommes d'affaires ont formé une alliance, avec le résultat que presque chaque église de la ville appuyait un homme d'affaires et vice-versa. Cela a eu pour effet d'améliorer le financement des églises et des entreprises au point d'enrayer tout échec, quel que soit le domaine, car les autres membres de l'alliance ne l'auraient pas permis.

Cet exemple illustre bien les résultats qui peuvent être atteints quand des groupes d'individus s'unissent dans le but de placer la puissance combinée du groupe derrière chaque individu. Cette alliance a apporté des avantages matériels et sociaux à la ville de Shelby comme en jouissent peu d'autres villes de son importance en Amérique. Le plan a fonctionné si efficacement et d'une façon si satisfaisante qu'un mouvement est maintenant en cours pour l'étendre dans d'autres villes à travers l'Amérique.

COMMENTAIRE

E. Colin Lindsey vendait des chaussures pour la compagnie Belk Brothers à Charlotte en Caroline du nord. Il y avait plusieurs autres vendeurs dans ce magasin, mais M. Lindsey a eu l'idée de proposer l'ouverture d'un nouveau magasin en coopération avec la famille Belk. Quarante ans plus tard, il était à la tête d'une chaîne de trente-cinq des magasins Belk Lindsey dans le sud, tandis que les autres vendeurs avec qui il travaillait se demandent encore ce qui a bien pu se passer. Tout ce qui s'est passé c'est que M. Lindsey a utilisé l'effort organisé, ce que les autres n'ont pas fait.

Jean Nidetch faisait partie des millions de personnes obèses en Amérique durant les années 1960. Elle savait qu'il y en avait bien d'autres dans la même condition. Elle réalisait à quel point il pourrait être puissant de réunir ces gens pour qu'ils s'inspirent les uns les autres et qu'ils échangent à propos de leurs expériences personnelles face à la perte de poids. Alors, Jean Nidetch a fondé le programme Weigth Watchers. D'une réunion n'ayant qu'une cinquantaine de participants, Weigth Watchers est rendue une organisation de plus d'un million de membres parce que cette dame a compris l'importance de l'effort organisé en aidant les autres.

> # Une encyclopédie de qualité contient la plupart des faits connus du monde, mais ils sont aussi inutiles que le sable des dunes s'ils ne sont pas organisés et exprimés en termes d'action.

LES ALLIANCES

Pour concrétiser davantage la puissance du principe de l'*effort organisé*, arrêtez-vous un instant pour permettre à votre imagination de visualiser le résultat obtenu si chaque église, chaque journal, chaque club social et autre organisation d'une municipalité formaient une alliance pour concentrer leur puissance et l'utiliser pour le bénéfice de tous les membres de ces organisations. L'impact d'une telle association défie l'imagination!

Il y a trois puissances primordiales dans le monde de l'*effort organisé*. Ce sont les églises, les écoles et les journaux. Pensez aux résultats encourus si ces trois grandes puissances, qui modèlent l'opinion publique, s'associaient pour créer des changements positifs dans la société. Elles pourraient, en l'espace d'une génération, modifier de telle façon les règles éthiques du monde des affaires, par exemple, que ce serait pratiquement un suicide professionnel pour quiconque tenterait d'effectuer des transactions sous quelque autre standard que la Règle d'Or. Une telle coalition pourrait, en une seule génération, exercer suffisamment d'influence pour changer les tendances sociales et morales de la terre entière. Une telle alliance dégagerait suffisamment de puissance pour imprégner les esprits des générations futures de tous les idéaux visés.

La puissance est un *effort organisé* et le succès est basé sur cette puissance!

J'ai utilisé les exemples précédents pour vous permettre d'avoir une conception claire de ce que j'entends par le terme *effort organisé* qui est la base de ce cours et dont je ne répéterai jamais assez l'importance : l'accumulation d'une grande richesse et l'atteinte de tout haut rang social dans la vie, qui constituent ce qu'on appelle normalement « le succès », sont basées sur la compréhension et l'aptitude à assimiler et à appliquer les principes majeurs des dix-sept leçons de ce cours. Ce cours fonctionne en harmonie totale avec les principes d'économie et de psychologie appliquée. Vous remarquerez que pour une application pratique, une leçon dépend des connaissances en psychologie de l'étudiant. Cette leçon a alors été enrichie de suffisamment d'explications des principes psychologiques mentionnés dans le texte pour simplifier la compréhension.

Avant que les manuscrits de ce cours n'aillent chez l'éditeur, ils furent soumis à quelques-uns des plus grands banquiers et hommes d'affaires du pays pour être examinés, analysés et commentés, comme ils l'avaient été par des professeurs d'éminentes universités. L'un des banquiers les mieux connus de la ville de New York retourna le manuscrit avec l'éloquent commentaire suivant:

> « Malgré ma maîtrise obtenue à l'université Yale, j'échangerais volontiers tout ce que ce diplôme m'a apporté contre les bénéfices que j'aurais pu tirer de votre cours sur Les Lois du Succès. Mon épouse et ma fille ont également lu le manuscrit et ma femme l'a intitulé *La maîtrise du clavier de la vie* parce qu'elle croit que tous ceux qui comprennent comment appliquer votre cours peuvent jouer une symphonie parfaite dans leur vocation respective, tout comme le pianiste virtuose le fait lorsqu'il maîtrise les règles fondamentales de la musique. »

Comme il n'y a pas deux personnes identiques en ce bas monde, il est normal d'arriver à des points de vue différents suite à la lecture de ce cours. Chacun devrait se l'approprier et en retirer ce qui lui est nécessaire pour devenir une personne bien équilibrée moralement et physiquement.

ANALYSEZ-VOUS

Ce cours fut compilé dans le but de vous aider à identifier vos talents naturels et de vous permettre d'organiser, de coordonner et de mettre en pratique la connaissance acquise par l'expérience. Pendant plus de vingt ans, j'ai recueilli, classifié et organisé le matériel de ce cours. Pendant les quatorze années suivantes, j'ai analysé plus de seize mille hommes et femmes dont les expériences pertinentes et pratiques ont servi à l'élaboration du cours.

Il a été découvert, par exemple, que 95% des gens analysés avaient échoué et que seulement 5% avaient réussi. (Ici, le terme *échec* signifie qu'ils avaient échoué à trouver le bonheur et le strict nécessaire, et cela, à se battre pour y arriver.) Peut-être est-ce la proportion réelle si tous les humains étaient analysés de la sorte? La lutte pour arriver à vivre une simple existence est terrible pour celui qui n'a pas appris comment organiser et diriger ses talents naturels, alors que l'acquisition de ces nécessités de la vie et autres objets de luxe est relativement facile pour celui qui a maîtrisé le principe de *l'effort organisé.*

L'un des faits mis en lumière par ces seize mille analyses fut la découverte que les 95% d'échecs relatifs *n'avaient aucun but clairement défini* dans la vie, alors que les 5% constituant les réussites avaient non seulement des *buts clairement définis*, mais ils avaient aussi des *plans clairement définis* pour les réaliser.

De plus, les 95% constituant les échecs s'étaient engagés dans un travail qu'ils n'aimaient pas, alors que les 5% faisaient ce qu'ils préféraient. Il est peu probable qu'un individu échoue alors qu'il s'est engagé dans un travail qu'il aime. Un autre fait essentiel est que tous ceux qui réussissaient avait pris l'habitude d'économiser systématiquement de l'argent, alors que les autres n'économisaient rien. Voilà qui mérite une réflexion sérieuse.

L'un des principaux objectifs de ce cours est justement de vous aider à accomplir le travail de votre choix de manière à ce qu'il vous rapporte le plus possible, autant en argent qu'en bonheur.

Mesurez-vous : faites une analyse honnête de qui vous êtes vraiment. En répondant honnêtement et objectivement aux questions suivantes, vous apprendrez davantage à votre sujet que la majorité des gens en connaissent à leur propre sujet. Étudiez les questions soigneusement. Relisez-les une fois par semaine, et cela, durant plusieurs mois. Vous serez impressionné par la somme de connaissance additionnelle de grande valeur que vous aurez acquise en répondant franchement. Si vous n'êtes pas certain de vos réponses relativement à certaines questions, demandez conseil auprès de gens qui vous connaissent bien, spécialement ceux qui n'ont aucune raison de vous flatter et percevez-vous à travers leurs yeux.

COMMENTAIRE

Le texte qui suit est un test d'analyse personnelle qui provient du livre Réfléchissez et devenez riche :

Vous plaignez-vous souvent de ne pas être en forme? Si oui, quelle est la cause de cet état?

Avez-vous une facilité à trouver les défauts des autres et à critiquer?

Faites-vous souvent des erreurs dans votre travail?

Votre approche est-elle sarcastique ou détestable?

Essayez-vous délibérément d'éviter les gens? Pour quelle raison?

La vie vous semble-t-elle futile et l'avenir sans espoir?

Vous apitoyez-vous souvent sur vous-même? Si oui, pourquoi?

Enviez-vous les gens qui ont plus de succès que vous?

Accordez-vous plus de temps à penser à vos problèmes qu'à vos réussites?

En prenant de l'âge, gagnez-vous ou perdez-vous de la confiance en vous-même?

Apprenez-vous des leçons valables de vos erreurs?

Permettez-vous à un membre de la famille ou un ami de vous créer de l'inquiétude?

Êtes-vous parfois exalté et parfois déprimé?

Qui est, selon vous, la personne la plus inspirante que vous connaissez?

Tolérez-vous des influences négatives?

Êtes-vous insouciant envers votre apparence personnelle?

Évitez-vous de faire face à vos problèmes en vous tenant occupé?

Laissez-vous d'autres personnes penser à votre place?

Êtes-vous facilement perturbé par de petits désagréments?

Pour vous calmer, avez-vous recours à l'alcool, aux drogues ou au tabac?

Êtes-vous harcelé par quelqu'un d'autre?

Avez-vous un but clairement défini dans la vie et un plan précis pour l'accomplir?

Souffrez-vous d'une ou plusieurs des six peurs fondamentales?

Disposez-vous d'une façon de vous protéger des influences négatives?

Tentez-vous activement de maintenir un état d'esprit positif?

À quoi attribuez-vous le plus de valeur : vos attributs physiques ou votre habileté à contrôler vos propres pensées?

Êtes-vous facilement influençable?

Avez-vous appris quelque chose de valable aujourd'hui?

Acceptez-vous votre part de responsabilité des problèmes qui surgissent?

Analysez-vous vos erreurs et vos échecs et essayez-vous d'en retirer les leçons?

Pouvez-vous identifier vos trois faiblesses les plus nuisibles? Que faites-vous pour les corriger?

Encouragez-vous les autres à vous raconter leurs soucis et à se confier?

Est-il possible que votre présence influence négativement d'autres personnes?

Quelles sont les habitudes chez d'autres personnes qui vous agacent le plus?

Formez-vous vos propres opinions ou permettez-vous à d'autres personnes de vous influencer?

Êtes-vous inspiré par votre emploi?

Possédez-vous des forces spirituelles suffisamment puissantes pour vous garder libre de toute forme de peur?

Si vous croyez que ceux qui se ressemblent s'assemblent, que savez-vous à propos de vos amis?

Voyez-vous une relation quelconque entre certains de vos amis et certains de vos malheurs?

Est-il possible qu'un ami ou collègue de travail ait une influence négative sur votre état d'esprit?

Selon vous, quel critère de sélection utilisez-vous pour déterminer qui de votre entourage vous aide ou vous nuit?

Vos proches associés vous sont-ils mentalement supérieurs ou inférieurs?

Combien de temps quotidiennement allouez-vous à :

- *votre travail?*
- *votre sommeil?*
- *vos loisirs et moments de détente?*
- *votre éducation dans le but d'acquérir de nouvelles connaissances?*
- *du temps perdu?*

Qui parmi vos amis et membres de votre famille :

- *vous encourage le plus?*
- *vous donne le plus de conseils?*
- *vous décourage le plus?*

Quelle est votre plus grande inquiétude? Pour quelle raison la tolérez-vous?

Lorsque d'autres personnes vous procurent des conseils non sollicités, les acceptez-vous sans questionnement ou analysez-vous les motifs qui les incitent à le faire?

Que désirez-vous plus que toute autre chose? Avez-vous l'intention de l'obtenir? Êtes-vous prêt à subordonner tout autre but envers celui-ci? Combien de temps chaque jour allouez-vous à ce désir?

Changez-vous souvent d'idée?

Habituellement, finissez-vous ce que vous avez commencé?

Êtes-vous facilement impressionné par le titre que porte une personne, ses diplômes ou sa fortune?

Êtes-vous souvent concerné à propos de ce que les autres pensent ou disent de vous?

Vous intéressez-vous à certaines personnes en raison de leur statut social ou de leur situation financière?

Qui croyez-vous est la plus grande personne sur terre? En quoi cette personne vous est-elle supérieure?

Combien de temps avez-vous alloué pour étudier et répondre à ces questions?

Un jour complet est nécessaire pour réfléchir à vos réponses afin de répondre aux questions honnêtement.

> **Aucune position dans la vie**
> **ne peut être assurée**
> **ni aucune réalisation ne peut être**
> **permanente à moins d'être bâties**
> **sur la vérité et la justice.**

UN BUT CLAIREMENT DÉFINI

La clé maîtresse de cette leçon peut se résumer par les mots « *clairement défini* » répétés de nombreuses fois.

Il est affligeant de savoir que 95% de la population mondiale dérive sans but à travers la vie, sans la moindre idée du travail qui lui conviendrait le mieux ni sans aucune connaissance sur la nécessité d'avoir un objectif *clairement défini* vers lequel diriger ses efforts.

Deux raisons motivent l'application d'un *but clairement défini* dans votre vie : l'un d'ordre psychologique, l'autre, social. Abordons d'abord l'aspect psychologique. C'est un principe déjà bien établi de la psychologie que les actions d'une personne concordent avec les pensées dominantes de son esprit.

Tout *but clairement défini* qui est délibérément fixé et maintenu dans l'esprit, avec la ferme détermination de le réaliser, sature le subconscient jusqu'à ce qu'il influence l'action physique et concrète vers l'atteinte de ce but.

C'est pourquoi votre *but clairement défini* devrait être choisi avec un soin réfléchi, puis être écrit et placé là où vous le verrez quotidiennement. Cela aura pour effet de l'imprimer dans votre subconscient si fortement qu'il agira comme une carte routière sur laquelle se modéliseront l'ensemble de vos activités, vous entraînant pas à pas vers sa réalisation.

Le principe de psychologie vous permettant d'imprimer ainsi votre *but clairement défini* dans votre subconscient se nomme « autosuggestion ». C'est un degré d'autohypnose qui n'est aucunement nocif. C'est même grâce à ce principe que Napoléon s'éleva lui-même de son humble état de dénuement, en Corse, jusqu'à son règne en France.

Thomas A. Edison fit de même en s'élevant de l'humble commis aux nouvelles jusqu'à devenir le plus grand inventeur du monde. C'est grâce au même principe que Lincoln combla le grand abîme entre son humble naissance, dans une cabane en rondins dans les montagnes du Kentucky, et la présidence de la nation américaine. C'est grâce à cette approche que Theodore Roosevelt devint l'un de nos leaders les plus charismatiques à la présidence des États-Unis.

L'AUTOSUGGESTION

Nulle crainte à avoir concernant le principe d'autosuggestion tant que l'objectif vers lequel vous tendez vous mène à un bonheur durable. Assurez-vous que votre *but clairement défini* soit constructif, que sa réalisation n'engendre aucune privation ou misère à autrui et qu'il vous apporte paix et prospérité. Quand toutes ces conditions sont remplies, appliquez-le aussitôt pour réaliser rapidement votre objectif.

Alors que j'écris ces lignes dans mon bureau, je vois un homme, posté au coin de la rue. Il vend des arachides toute la journée, toujours occupé à accomplir une tâche : rôtir ses arachides, les emballer dans de petits sacs ou les vendre. Il fait partie de la grande armée des 95% qui n'ont aucun *but clairement défini* dans la vie. Il fait ce commerce non parce qu'il le préfère à tout autre, mais parce qu'il n'a jamais pris le temps nécessaire pour réfléchir à un but précis qui lui rapporterait davantage pour les efforts qu'il déploie. Il vend des arachides parce qu'il se laisse dériver ainsi sur la mer de la vie et, la pire tragédie provient du fait que s'il dirigeait les mêmes efforts dans un autre domaine, cela lui rapporterait des revenus supérieurs.

Cet homme, inconsciemment, fait usage du principe de l'autosuggestion, mais à son désavantage. Si nous pouvions photographier le circuit de ses pensées, il n'y aurait qu'une rôtissoire à arachides, quelques petits sacs de papier et des gens les achetant. Ce commerçant pourrait facilement faire autre chose de plus rentable s'il s'imaginait dans une entreprise plus lucrative et maintenait cette vision dans son esprit jusqu'à ce qu'elle l'incite à prendre les mesures nécessaires pour passer à l'action. L'ardeur qu'il met à son travail lui rapporterait sûrement des revenus plus substantiels s'il était dirigé vers l'atteinte d'un *but clairement défini* offrant de meilleures conditions.

Un de mes meilleurs amis est également un des meilleurs écrivains et conférenciers de ce pays. Dix ans auparavant, il remarqua les possibilités de ce principe d'autosuggestion et commença immédiatement à poursuivre l'idée en la mettant en action. Il développa un plan d'application qui prouva être très efficace. À ce moment-là, il n'était ni écrivain, ni conférencier.

Chaque nuit, avant de s'endormir, il fermait les yeux et visualisait une longue table de conseil autour de laquelle il plaçait certaines personnes célèbres dont il voulait adopter les qualités. Lincoln siégeait à la place principale, Napoléon, Washington, Emerson et Elbert Hubbard, sur les côtés. Il amorçait alors un échange imaginaire avec chacun, qui pouvait ressembler à ceci:

« Monsieur Lincoln, je désire intégrer à ma personnalité les qualités dominantes qui étaient vôtres, comme la patience et l'impartialité que vous témoigniez à tous ainsi que votre grand sens de l'humour. J'ai besoin de ces qualités pour me réaliser et je ne serai satisfait que lorsque je les aurai développées.

« Monsieur Washington, je désire acquérir votre patriotisme, votre don de soi et votre leadership qui furent les traits marquants de votre caractère.

« Monsieur Emerson, je désire intégrer dans mon caractère votre capacité à imaginer et à interpréter les lois de la nature telles qu'elles sont écrites sur les pierres des murs des prisons, les arbres croissants, les ruisseaux débordants, les fleurs épanouies et les visages des petits enfants.

« Monsieur Bonaparte, je désire intégrer dans mon caractère vos qualités dominantes : votre confiance en vous, votre aptitude stratégique à maîtriser les obstacles et à développer la force à partir d'une défaite.

« Monsieur Hubbard, je désire développer mon talent d'orateur en égalant, voire même en dépassant l'aptitude que vous avez eue de vous exprimer dans un langage clair, concis et énergique. »

Nuit après nuit, pendant plusieurs mois, mon ami visualisa ces hommes et ce qu'il leur demandait jusqu'à ce qu'il ait imprimé clairement leurs traits dominants dans son propre subsconscient, de telle sorte qu'il commença à développer une personnalité à leur image.

COMMENTAIRE

Plus que quiconque d'autre, Napoleon Hill a été la première personne à encourager l'usage de l'autosuggestion. Le meilleur défenseur de l'autosuggestion a probablement été le psychiatre français Émile Coué. De la même époque que Freud, à la fin des années 1800, Coué recommandait son usage à l'aide de la répétition de phrases qu'il qualifiait d'affirmations positives. Il élabora ce qu'il considérait être une affirmation parfaitement positive, d'ordre général, et qui pourrait être utilisée pour améliorer tout aspect que ce soit de la vie d'une personne. Coué incitait ses patients à répéter la phrase suivante plusieurs fois par jour : « Chaque jour, en toute chose, je me porte de mieux en mieux. » Sa méthode fut rapidement rendue populaire et l'utilisation de cette formule devint pratiquement un mouvement populaire en Europe.

Lorsque Coué vint en Amérique en tant que conférencier, les journaux quotidiens ont considéré que son idée était trop simpliste et les journalistes en ont profité pour parodier son affirmation avec une version humoristique. Coué devint donc la risée tout comme un magicien qui essaierait de mettre en doute l'efficacité de l'hypnose. La méthode de l'affirmation positive de Coué est tombée dans le néant.

Des scientifiques sérieux et des thérapeutes ont continué à travailler avec ces méthodes, mais tout comme la théorie de M. Hill à propos du pouvoir de l'esprit pour guérir le corps, il fallut l'ouverture d'esprit de la dernière partie du vingtième siècle avant que les techniques de l'hypnose, de l'autosuggestion et des affirmations positives gagnent, encore une fois, la faveur publique.

Si vous désirez augmenter vos connaissances à propos de ces techniques, les livres suivants vous procureront une diversité d'information : Creative Visualization de Shakti Gawain, Psycho-Cybernetics de Dr. Maxwell Maltz, Visualization : Directing the Movies of Your Mind de Adelaide Bry, Getting Well Again de Dr. O. Carl Simonton, Self-Hypnosis de Leslie M. LeCron.

> # Ne « dites » pas aux gens
> # ce que vous pouvez faire, prouvez-le.

Le subconscient peut se comparer à un aimant lorsqu'il a été vivifié et saturé d'un *but clairement défini* : il attire ce qui est nécessaire à la réalisation de cet objectif. Qui se ressemble s'assemble : cette loi s'observe dans chaque brin d'herbe et chaque arbre. Le gland retire du sol et de l'air les éléments nécessaires à la croissance d'un chêne. Il n'est jamais arrivé qu'un arbre soit à la fois chêne et peuplier.

Chaque grain de blé ensemencé attire les éléments nécessaires pour faire pousser la tige de blé. Il ne se trompe jamais pour développer à la fois de l'avoine et du blé sur la même tige.

Les humains sont également sujets à cette même loi de l'attraction. Vous trouverez partout des gens qui s'associent selon leur façon de penser et d'agir. Ceux qui réussissent recherchent la compagnie d'autres qui ont réussi. Ceux qui sont misérables recherchent leurs semblables, car la misère aime la compagnie.

L'eau cherche un liquide qui lui ressemble avec la même force d'attraction que celui qui cherche la compagnie de son semblable possédant le même état financier et idéologique. Un universitaire et un illettré trouveraient difficile de cohabiter pendant une longue période, tout comme l'huile et l'eau qui se repoussent instinctivement.

Cela conduit à l'exposé suivant: comme vous attirez les gens qui partagent votre philosophie de vie, il est donc important de vivifier votre esprit avec un *but clairement défini* qui attirera à vous les gens qui représentent une aide et non une entrave. N'hésitez pas à viser un *but principal clairement défini* supérieur à votre niveau actuel. C'est un privilège, en fait, c'est votre devoir de viser haut dans la vie.

Plusieurs preuves viennent justifier l'idée selon laquelle, *dans les limites de la raison,* rien n'est au-delà de la capacité de réalisation de l'homme dont le *but principal clairement défini* a été bien développé.

Il y a quelques années, Louis Victor Eytinge reçut une sentence d'emprisonnement à vie en Arizona.

Au moment de son incarcération, il admettait lui-même être « un homme méchant » et tous croyaient qu'il mourrait de tuberculose en moins d'un an. Il n'avait aucun ami à qui se confier ni pouvant le soutenir moralement. Quelque chose se produisit cependant dans son esprit qui lui rendit la santé et lui ouvrit les portes de la liberté. Eytinge avait entièrement raison d'être découragé. L'aversion du public à son égard était intense et il n'avait personne au monde qui venait à lui pour lui offrir encouragement et aide.

Qu'était donc cette chose?

Il s'était mis en tête de réduire à néant le bacille de la tuberculose et de recouvrer la santé. C'était son *but principal clairement défini*. Moins d'un an plus tard, il était complètement guéri. Alors, il décida de prolonger ce *but principal clairement défini* en visualisant sa libération, ce qui lui fut accordé grâce à sa bonne conduite.

COMMENTAIRE

Les détails du cas de Louis Eytinge sont intéressants. Durant son incarcération, Louis Eytinge décida de devenir auteur. Il prit des magazines, catalogues et toute autre documentation qui contenait du matériel de marketing et il se mit à les réécrire. Au fur et à mesure que grandit sa confiance en lui, il envoya les copies révisées aux compagnies qui les avaient initialement publiées. Certaines n'étaient pas très heureuses, mais d'autres surent reconnaître son talent. Il se mit à gagner de bonnes sommes d'argent. Mais plus important encore, son implicaion impressionna certains de ses clients qui décidèrent de l'aider. Ils mirent sur pied une pétition adressée au gouverneur de l'Arizona pour obtenir sa clémence. Ce fut long, mais Eytinge fut éventuellement libéré et sortit de prison; il s'est élevé de la pire situation dans la vie au pouvoir et à l'abondance en travaillant pour une firme de relations publiques.

Aucun environnement indésirable n'est suffisamment fort pour empêcher une personne qui comprend l'application du principe de l'autosuggestion de créer un *but clairement défini*. Vous pouvez vous débarrasser des entraves de la pauvreté, détruire les germes des maladies les plus implacables, vous élever d'un niveau social humble à la puissance et à l'abondance.

Tous les grands leaders de ce monde basent leur puissance sur un *but principal clairement défini*. Leurs partisans n'hésitent pas à soutenir de tels chefs qui ont l'audace d'actualiser cet objectif dans l'action et ils se rangent à leurs côtés. Même un cheval rétif sait reconnaître un tel individu et lui obéit. La foule recule pour lui céder le passage, mais s'il hésite le moindrement, elle refusera de bouger d'un centimètre pour le laisser passer.

Nulle part l'absence d'un *but clairement défini* n'est plus perceptible ou préjudiciable que dans la relation parents-enfants. Les enfants sentent très vite l'attitude hésitante de leurs parents et en abusent.

Il en va de même dans la vie : les personnes ayant un *but principal clairement défini* commandent le respect et l'attention en tout temps.

COMMENTAIRE

En 1990, à cause d'un accident, Douglas Grant, devint paralysé et confiné à un fauteuil roulant. Plutôt que de décider qu'il en était fini de sa vie, il se mit passionnément à la poursuite d'un but précis. Son père lui dit qu'il ne marcherait jamais plus, à moins de maintenir une vision dans la vie. La vision de Grant n'était pas de seulement marcher à nouveau, mais de gagner une médaille d'or en haltérophilie. Il disait : « J'ai décidé que je ferais arriver les choses. » Il créa sa propre stratégie de réhabilitation et débuta la restauration de sa mobilité. En 1993, non seulement marchait-il, mais il gagnait aussi le championnat mondial d'haltérophilie, obtenant ainsi la médaille d'or à laquelle il avait rêvé.

La bataille que livra Douglas Grant pour restaurer sa force avait également suscité son intérêt pour la nutrition. Il créa un cerveau collectif avec des autorités en la matière à propos des enzymes et il développa un système alimentaire basé sur l'activation des enzymes appelé Infinity. Ce programme est aujourd'hui utilisé par des équipes professionnelles telles que les Yankees de New York et les Rockets de Houston. La compagnie de Grant génère des millions de dollars de revenus annuellement.

> ## La meilleure compensation
> ## pour notre travail réside dans l'habileté
> ## d'accomplir davantage.

UN BUT CLAIREMENT DÉFINI ET L'ASPECT FINANCIER

Assez dit sur le point de vue psychologique d'un *but clairement défini*. Abordons maintenant le côté économique de la question.

Si un bateau perdait son gouvernail au milieu de l'océan et tournait en rond, il épuiserait vite son carburant sans atteindre le littoral, même si l'énergie utilisée équivaut à plusieurs allers-retours.

La personne qui travaille sans but *clairement défini,* appuyé par un plan défini pour l'atteindre, ressemble au bateau ayant perdu son gouvernail. Un travail laborieux et de bonnes intentions sont insuffisants pour se hisser vers le succès, car comment pouvons-nous atteindre un objectif que nous n'avons pas identifié?

Toute maison bien construite est le résultat d'un *but clairement défini,* soutenu par un projet précis : les plans. Sans cela, les ouvriers travailleraient de façon désordonnée, chacun ayant une conception différente quant à la façon de construire la maison. Résultat: chaos, incompréhension et coût démesuré.

La plupart des gens terminent l'école et se lancent sur le marché du travail sans avoir la moindre notion de ce qu'est un *but clairement défini* ou un plan précis. Comment expliquer, malgré la possibilité de consulter des conseillers en orientation pour mieux diriger sa carrière, que 95% des gens échouent dans leur choix de carrière parce qu'ils n'ont pas trouvé leur propre voie?

Si le *succès* dépend de la puissance, si la puissance est un *effort organisé* et si le premier pas dans la direction de l'organisation est un *but clairement défini,* il est urgent de reconnaître à quel point un tel objectif est essentiel. Jusqu'à ce que vous choisissiez un *but déterminé* dans votre vie, vous gaspillez votre énergie et dispersez vos pensées dans des directions si différentes qu'elles vous conduisent non pas à la puissance, mais à l'indécision et à la faiblesse.

Grâce à la manipulation d'une simple loupe, vous pouvez en apprendre beaucoup quant à la valeur de *l'effort organisé.* Elle vous permet de concentrer les rayons du soleil en un point si *déterminé* qu'ils perceront un trou dans une planche. Retirez cette loupe (qui représente le *but déterminé)* et les rayons solaires peuvent chauffer cette même planche pendant des années sans la consumer.

Un million de piles sèches, lorsqu'elles sont correctement assemblées et connectées à des fils électriques, produiront assez de puissance pour faire fonctionner une pièce de machinerie lourde pendant plusieurs heures, mais prenez ces mêmes éléments seuls, débranchés, et aucun ne produirait suffisamment d'énergie pour l'actionner, ne serait-ce qu'un seul tour. Les facultés de votre esprit se comparent adéquatement à ces piles sèches. Quand vous les organisez selon le plan proposé dans les leçons de ce cours et que vous les dirigez vers la réalisation d'un but *clairement défini* dans votre vie, vous tirez alors avantage du principe coopératif ou cumulatif à partir duquel la *puissance,* qui est appelée *l'effort organisé,* sera développée.

Andrew Carnegie émit le conseil suivant: « Placez tous vos oeufs dans un panier puis surveillez-le pour que personne ne le renverse. » Il suggérait ainsi de ne pas disperser nos efforts en nous engageant dans des occupations secondaires. Carnegie, en tant qu'éminent économiste, savait qu'il valait mieux exploiter et diriger ses efforts de façon à ce qu'une chose précise soit bien exécutée.

Un jour, je présentai le manuscrit de ce cours à un professeur de l'Université du Texas et, enthousiaste, je lui déclarai avoir découvert un principe qui m'aiderait dans chacune de mes futures allocutions, parce qu'il me permettrait de mieux organiser mes idées. Il en regarda les grandes lignes pendant quelques minutes et me dit: « Oui, votre découverte vous aidera à faire de meilleurs discours, mais ce n'est pas tout. Elle vous aidera à devenir un écrivain plus efficace, car j'ai remarqué dans vos écrits précédents une tendance à vous éparpiller.

« Par exemple, si vous commenciez à décrire une montagne à l'horizon, vous vous en éloigniez en attirant l'attention sur un merveilleux lit de fleurs sauvages, un ruisseau courant ou un oiseau chanteur, zigzaguant ainsi au gré de vos découvertes avant d'arriver au bon endroit pour observer la montagne. Grâce à ce principe, ce sera beaucoup moins difficile de décrire un objet, oralement ou par écrit, car vos points représentent la véritable *base de l'organisation.* »

Un jour, un cul-de-jatte rencontra un aveugle. Pour lui prouver qu'il était doté d'une imagination fertile, il lui proposa de former une association qui leur servirait à tous deux : « Vous me laissez grimper sur votre dos, de telle sorte que je puisse utiliser vos jambes et vous, mes yeux. À nous deux, nous avancerons plus rapidement. »

COMMENTAIRE

Marty et Helen Shih, une équipe formée d'un frère et d'une sœur, ont prouvé la valeur d'un génie organisateur en combinant leurs efforts pour réussir. En 1979, ils ont démarré un étalage de fleurs sur un coin de rue de Los Angeles. Ils ne vendirent leur premier jour que $1.99.

Ensemble, ils travaillèrent avec ardeur. Une de leurs brillantes décisions fut de noter le plus de détails possibles à propos de leurs clients. Cette méthode leur permit de téléphoner à leurs clients pour leur rappeler des anniversaires de naissance, de mariage et des occasions spéciales. Leur engagement permit ainsi parfois à leur clientèle de sauver la face, ce qui généra une clientèle fidèle. De leur début modeste, les Shih compilèrent une base de données très valable. Cette valeur fut accrue du fait qu'ils avaient ciblé le marché asiatique-américain, un marché qui avait été oublié de plusieurs.

Par la suite, les Shih développèrent un service de références complet pour les nouveaux immigrants asiatiques qui pouvaient téléphoner et parler à des téléphonistes en mandarin, cantonais, coréen ou japonais. Des sites Internet sont devenus disponibles dans toutes ces langues. Leur association asiatique-américaine s'est alors alliée avec des compagnies telles que DHL, New York Life et Sprint pour développer des services de marketing pour une communauté souvent difficile à rejoindre. Les ventes annuelles excèdent maintenant les 200 $ millions de dollars.

La toute petite aventure des Shih dans la vente de fleurs généra une occasion d'affaires. Leurs efforts engagés et organisés leur fournirent les moyens d'y arriver et de réussir. Maintenant, plusieurs compagnies Fortune 500 *sont leurs alliées dans l'expansion de leur commerce.*

Une association d'efforts génère une plus grande puissance. Ce point mérite d'être répété souvent *parce qu'il forme l'une des bases les plus importantes de ce cours.* Les grandes fortunes furent accumulées grâce à l'actualisation de ce principe de collaboration. Ce qu'un individu peut accomplir d'une seule main, pendant une vie entière, est plutôt pauvre, peu importe l'efficacité de son organisation, comparé à ce qu'il peut réaliser grâce au principe de l'alliance, dont les effets sont presque illimités.

Le génie organisateur auquel Carnegie référait était constitué de plus d'une vingtaine d'esprits regroupant des hommes dont le tempérament et les goûts différaient énormément. Chacun avait son rôle à jouer et se limitait à le remplir avec un degré parfait de compréhension mutuelle et de collaboration. Le rôle de Carnegie consistait à maintenir cette harmonie entre eux, ce qu'il fit merveilleusement bien.

Si vous êtes familier avec les sports d'équipe, vous savez, bien sûr, que le club gagnant est celui qui coordonne le mieux les efforts de ses joueurs. Le travail d'équipe, c'est ce qui fait gagner. C'est la même chose dans le grand jeu de la vie. Si vous avez la *réussite* comme objectif, vous devriez constamment garder le focus sur ce que vous désirez et savoir précisément quel est votre *but clairement défini*. Et, en même temps, garder en mémoire la valeur du principe de l'*effort organisé* dans la réalisation de tout but *précis*.

La plupart des gens ont le désir de l'argent comme *but clairement défini*. Mais, il ne s'agit pas d'un *but clairement défini* dans le sens où je l'entends dans cette leçon. Avant de considérer votre but comme étant « clairement défini », même si c'était l'accumulation d'argent, vous devriez déterminer avec précision la méthode que vous utiliserez pour accumuler cet argent. Il serait insuffisant d'affirmer vouloir faire de l'argent en vous lançant dans une entreprise quelconque : vous devriez connaître la nature de cette entreprise, déterminer l'endroit où elle sera située et les politiques internes qui l'alimenteront.

Suite à la question : « Quel est votre *but clairement défini* dans la vie? », apparaissant dans le questionnaire utilisé pour faire l'analyse de plus de seize mille personnes, plusieurs répondirent que leur but était de rendre service aux gens dans la mesure de leurs capacités et de bien gagner leur vie. Cette réponse est aussi vague que l'idée qu'une grenouille se fait de la grandeur de l'univers!

L'objet de cette leçon n'est pas de vous informer sur ce que vous devriez faire de votre vie, car cela ne viendra qu'après une autoanalyse sérieuse. Cette leçon vise surtout à imprimer dans votre esprit une idée claire sur la valeur d'un *but clairement défini* et du principe de l'*effort organisé* comme façon d'atteindre la puissance nécessaire pour matérialiser ce but.

Après avoir étudié minutieusement la philosophie des affaires de plus d'une centaine de personnes ayant atteint un succès remarquable dans leur profession respective, il s'avéra que chacune d'entre elles pouvait prendre des décisions promptes et assurées. L'habitude de travailler avec un *but principal clairement défini* fera naître en vous cette capacité de décision rapide, habileté qui vous servira dans tous les domaines de votre vie. Bien plus, cette habitude *vous* aidera à concentrer toute votre attention sur une tâche donnée jusqu'à ce que vous l'ayez maîtrisée. La concentration de l'effort et l'habitude de travailler avec un *but principal clairement défini* sont deux facteurs essentiels à l'atteinte du succès qui vont toujours de pair, car l'un engendre l'autre.

Les gens d'affaires, les leaders, ayant connu le succès avaient tous l'habileté de la décision prompte et travaillaient toujours avec un *but principal exceptionnel* comme projet déterminé. Voici quelques exemples remarquables:

F.W. Woolworth choisit comme *but principal clairement défini* d'implanter en Amérique une chaîne de magasins 5-10-15 et concentra son esprit sur cette seule tâche jusqu'à sa réalisation complète, avec le succès qu'on lui connaît.

William Wrigley Jr, concentra son esprit sur la production et la vente de paquets de gomme à mâcher à cinq sous et transforma cette idée en millions de dollars.

Thomas A. Edison se concentra sur l'équilibre des lois de la nature et ses efforts aboutirent à des inventions plus utiles que tout ce qui avait été conçu à ce jour.

R.H. Ingersoll se concentra sur une montre à un dollar et lui fit parcourir la planète, idée qui lui rapporta une fortune.

Ellsworth Milton Statler se concentra sur un « service hôtelier confortable » et s'enrichit tout en répondant aux besoins d'une clientèle satisfaite de ses services.

Woodrow Wilson concentra son esprit sur la Maison Blanche pendant vingt-cinq ans et devint son principal locataire grâce à sa connaissance concernant la nécessité de maintenir un *but principal clairement défini*.

Abraham Lincoln concentra son esprit sur la libération des esclaves, ce qui lui valut d'être le plus grand président des États-Unis.

John D. Rockefeller se concentra sur le pétrole et devint l'homme le plus riche de sa génération.

Henry Ford se concentra sur le transport à bon prix et devint l'homme le plus riche et le plus puissant de la planète.

Andrew Carnegie se concentra sur l'acier et érigea une fortune colossale grâce à ses efforts. Les bibliothèques publiques utilisèrent son nom à travers le pays comme source d'inspiration.

King Gillette devint multimillionnaire en se concentrant sur le rasoir de sûreté et offrit au monde entier un « rasage de près ».

George Eastman se concentra sur l'appareil photo (Kodak). Cette idée lui procura une fortune tout en ajoutant au bonheur de millions de gens.

William Randolph Hearst se concentra sur les journaux à sensations et l'idée lui valut des millions de dollars.

Helen Keller se concentra à apprendre à parler et réalisa son but principal *clairement défini* malgré le fait qu'elle soit née sourde, muette et aveugle.

Marshall Field se concentra sur le plus grand magasin de vente au détail au monde et il se matérialisa.

Philip Armour se concentra sur le commerce de la boucherie et établit non seulement une grande industrie mais une fortune colossale.

Les frères Wright se concentrèrent sur les avions et maîtrisèrent l'air.

George Pullman se concentra sur les trains-couchettes. L'idée le rendit riche et les gens confortables dans leurs déplacements.

Des millions de personnes se concentrent constamment sur la *pauvreté* et l'*échec* et elles n'obtiennent que le résultat de leurs pensées, et cela, en surabondance.

COMMENTAIRE

Il existe encore bien d'autres exemples :

- *Marie Curie s'est concentrée sur une recherche scientifique et a été la première femme à se mériter un prix Nobel. Également, la première femme à le mériter à deux reprises.*

- *Coco Chanel s'est concentrée sur l'élégance de la mode et elle a défini les normes pour les femmes de se vêtir durant plus d'une génération.*

- *Henry Kaiser s'est concentré à bâtir des navires et il a bâti la Marine Américaine au cours de la Seconde Guerre Mondiale.*

- *Ray Kroc s'est concentré sur les hamburgers et a rendu McDonald's la chaîne de restauration la plus prospère du monde entier.*

- *Martin Luther King s'est concentré sur les droits civils et a contribué à l'avancement des inégalités sociales des américains de toutes les couleurs.*

- *Sam Walton s'est concentré sur les prix coupés et a couvert l'Amérique entière de ses magasins.*

- *George Lucas s'est concentré sur la Guerre des Étoiles et a exploité son film au point où il devint le plus fructueux de tous les temps.*

- *Stephen King s'est concentré sur les romans à suspense et il est devenu l'auteur le plus prolifique de tous les temps.*

- *Ted Turner s'est concentré sur la télévision par câble et a bâti un énorme conglomérat de médias.*

- *Harry Helmsley s'est concentré sur l'immobilier et a accumulé plus d'un milliard de dollars de terrains dans la ville de New York.*

- *Oprah Winfrey s'est concentrée sur sa réussite en tant que reporter à la télévision, a obtenu sa propre émission de talk-show, a créé son studio et est devenue la femme la plus influente et la plus riche du monde des médias.*

- *Bill Gates s'est concentré sur les logiciels et est devenu la personne la plus riche en Amérique.*

Qui pouvez-vous ajouter à cette liste?

Tout le monde peut prendre le départ,

mais seul le pur-sang

terminera la course!

DÉCOUVRIR VOTRE MISSION DE VIE

Comme vous pouvez le constater grâce aux exemples précédents, tous ceux qui réussirent travaillaient avec un but *clairement défini* remarquable.

Il en va de même pour vous : il existe un domaine où vous pouvez exceller mieux que personne d'autre. Cherchez jusqu'à trouver la nature de cette voie particulière et faites-en votre *but principal clairement défini*. Organisez ensuite toutes vos forces pour vous y engager avec la certitude de gagner. Vous atteindrez un plus grand succès si vous optez pour un travail qui vous convient et où vous pourrez vous investir corps et âme.

COMMENTAIRE

Le conseil de M. Hill de vous concentrer sur vos forces pour bâtir votre mission de vie, a également été repris et analysé en profondeur par beaucoup d'autres auteurs. C'est la genèse de nombreux bestsellers incluant Feel the fear and do it anyway de Susan Jeffers et Wishcraft de Barbara Sher et Annie Gotlieb.

Pour clarifier tout cela, retournons aux principes psychologiques qui constituent la base de cette leçon pour vous assurer de bien saisir l'importance d'établir un *but principal clairement défini* dans votre esprit. Ces principes sont les suivants:

Premièrement: chaque mouvement volontaire du corps humain est provoqué, contrôlé et dirigé par la *pensée,* à travers l'opération de l'esprit.

Deuxièmement: la présence de toute pensée ou idée dans votre conscience tend à produire une association qui vous incite à transformer cette impression en actions musculaires appropriées qui sont en parfaite harmonie avec la nature de la pensée.

Par exemple, si vous pensez cligner de l'oeil et qu'il n'y a aucune influence ou pensée contraire dans votre esprit au moment d'initier l'action, le nerf moteur transportera votre pensée au siège de l'influence dans votre esprit et l'action musculaire appropriée se produira immédiatement.

Énonçons ce principe sous un autre angle. Supposons que vous avez choisi un *but déterminé* et que vous décidez de l'actualiser. À partir *du moment où vous faites ce choix délibéré, cet objectif devient la pensée dominante de votre conscience, vous rendant alerte et réceptif à tout ce qui s'y rattache : faits, informations et connaissances susceptibles de vous en rapprocher.* Consciemment et inconsciemment, votre esprit recueille et emmagasine les matériaux nécessaires pour accomplir ce projet.

Le *désir* est le facteur qui *définit clairement* la nature de votre *but déterminé* dans la vie. Personne ne peut choisir ce *désir* dominant à votre place, mais une fois trouvé, il devient votre *but principal clairement défini.* Il est en vedette dans votre esprit tant que la transformation ne sera pas devenue réalité, à moins que vous ne lui permettiez d'être évincé par des désirs conflictuels.

Pour vous assurer la réussite de votre projet, votre *but principal clairement défini* devrait être renforcé par le *désir ardent* de son achèvement. J'ai remarqué que les jeunes qui contribuent aux paiements de leurs frais de scolarité en travaillant semblent retirer davantage de leur instruction que ceux dont les dépenses sont payées. S'ils travaillent ainsi pour payer leurs études, c'est qu'ils sont nourris d'un vif désir de parfaire leur éducation et un tel désir a de bonnes chances de les conduire au succès.

La science a établi, hors de tout doute, que l'autosuggestion permet à tout *désir* profondément enraciné de submerger le corps et l'esprit entiers, transformant littéralement l'esprit en un aimant puissant qui attirera l'objet du désir, si ce dernier est raisonnable. Par exemple, le fait de désirer une auto ne la fera pas apparaître automatiquement, mais, si vous avez un *désir ardent* d'acquérir une voiture, cela vous mènera à l'action appropriée pour l'acheter. Le fait de désirer la liberté serait insuffisant pour un prisonnier s'il n'ajoute pas à cela l'action nécessaire pour déclencher son processus de libération.

AU-DELÀ DE VOTRE DÉSIR BRÛLANT

Voici donc les étapes pour transformer le *désir* en réalité: d'abord, ressentir un *désir ardent*; cristalliser ensuite ce désir en un *but clairement défini*; puis *agir* de façon appropriée pour atteindre cet objectif. *Ces trois étapes sont essentielles pour assurer le succès :*
- d'abord, ressentir un désir ardent;
- cristalliser ensuite ce désir en un but clairement défini;
- puis, agir de façon appropriée pour atteindre cet objectif.

J'ai connu une fille très pauvre provenant d'une famille dysfonctionnelle qui nourrissait l'ardent désir de se faire des amis. Elle en obtint finalement plusieurs en plus d'un mari, mais non sans avoir transformé ce désir en développant une personnalité très attrayante qui attira le mari de ses rêves.

J'ai déjà ressenti le *désir ardent* de pouvoir analyser les caractères avec précision. Ce désir était si persistant et si profondément ancré qu'il me conduisit à dix ans de recherches et d'études sur des milliers d'hommes et de femmes.

George S. Parker fabriqua l'un des meilleurs stylos au monde. Même si son entreprise avait vu le jour dans une petite ville du

Wisconsin, il vendit son produit partout sur la planète. Son *but clairement défini* consistait à produire le meilleur stylo, objectif qu'il grava dans son esprit et auquel il ajouta le *désir ardent* de l'actualiser concrètement. Le stylo que vous arborez fièrement est la preuve de cette réussite.

Vous êtes comme un entrepreneur en construction qui bâtit une maison avec du bois, de la brique et de l'acier. Vous devez tracer les plans à partir desquels vous donnerez forme à l'édification de votre réussite.

Vous vivez à une époque qui foisonne d'information et d'expertise vous permettant de réussir votre entreprise. Vous avez à votre disposition dans les librairies publiques les résultats soigneusement compilés de deux mille ans de recherches, couvrant pratiquement tous les champs d'action possibles où vous pourriez désirer vous engager.

> **Chaque ligne qu'une personne écrit,**
>
> **chacune de ses actions et**
>
> **chaque parole prononcée**
>
> **servent d'évidence inéluctable sur la nature de ce qui**
>
> **est profondément enfoui dans son propre coeur,**
>
> **un aveu qu'il ne peut pas désavouer.**

Si vous voulez travailler dans le domaine des communications, vous avez accès à l'expertise complète de vos prédécesseurs. Si vous voulez travailler dans la mécanique, vous avez à portée de main l'histoire complète des inventions et des découvertes. Si vous voulez devenir avocat, vous avez à votre disposition l'histoire entière de la procédure légale.

COMMENTAIRE

Ici, et à de nombreuses autres occasions, M. Hill semble en avance sur son temps. Au cours du passage précédent, il anticipait l'âge de l'Internet et reconnaissait que cette information pouvait être la commodité la plus valable qu'une personne puisse posséder.

> **« Oui, il a réussi, mais il a failli échouer! »**
> **C'est ce qui arriva à Robert Fulton,**
> **à Abraham Lincoln et à presque tous les autres qui**
> **furent « couronnés de succès ».**
> **Aucun d'eux n'atteignit un succès remarquable**
> **sans s'être retrouvé, à un moment**
> **ou l'autre, à deux doigts de l'échec.**

Il en va ainsi pour toutes les sphères de travail. Il n'y a jamais eu autant d'occasions pour se réaliser que l'époque dans laquelle nous vivons. Tous les métiers et professions explosent en demandes de services de toutes sortes. À vous de trouver la voie qui vous convient!

Cette leçon ne sera complète que lorsque vous aurez choisi en quoi consiste votre *but principal clairement défini*, que vous en aurez détaillé la description par écrit et que vous l'aurez placé à un endroit propice pour le voir le matin au réveil et le soir au coucher.

La procrastination existe, bien sûr, avec les conséquences qui l'accompagnent. Vous êtes responsable de ce qui se produit dans votre vie, vous êtes le tailleur de votre bois, le tireur de votre eau et le modeleur de votre *but principal clairement défini* dans la vie. Personne ne l'identifiera à votre place et il ne surviendra pas comme par magie. Quelle action poserez-vous pour le trouver? Quand? Comment?

LE DÉSIR

Analysez dès maintenant vos désirs pour découvrir ce que vous souhaitez, puis entraînez votre esprit en vue de l'obtenir. La leçon trois vous indiquera clairement comment procéder pour y arriver. Rien n'est laissé au hasard dans ce plan. Vous n'avez qu'à suivre les directives jusqu'à votre arrivée à destination, c'est-à-dire votre *but principal clairement défini*. Clarifiez ce but et maintenez-le avec une insistance qui ne se laisse pas distraire par le mot « impossible ».

Une fois que vous aurez choisi votre *but clairement défini*, souvenez-vous qu'il ne faut pas *viser* plus haut que vos capacités le permettent et que votre but doit être précis. S'il ne l'est pas, il en sera de même de vos réalisations. *Sachez ce que vous voulez, quand vous le voulez, pourquoi vous le voulez et COMMENT vous avez l'intention de l'obtenir.*

Une des raisons principales de ce cours est de vous aider à performer dans un domaine de votre choix de façon telle que vous reviennent les plus grands résultats autant en argent qu'en bonheur.

Si vous lisez cette leçon quatre fois, en laissant un intervalle d'une semaine entre chaque lecture, vous découvrirez des éléments passés inaperçus la fois précédente.

La maîtrise de ce cours dépend en grande partie de la façon dont vous suivrez *toutes* les instructions qu'il contient. Évitez d'établir vos propres règles et tenez-vous-en à votre rôle d'étudiant : fiez-vous plutôt à celles que je vous suggère qui résultent de plusieurs années de réflexion et d'expérience. Si vous souhaitez toutefois expérimenter par vous-même, attendez d'abord d'avoir maîtrisé ce cours selon les théories que je vous propose, ce qui donnera plus d'assurance à vos essais. Vous deviendrez un jour, espérons-le, un professeur habile pour guider d'autres personnes. L'échec est impossible si vous suivez adéquatement tous mes conseils.

Sachez **CE QUE** vous voulez,
QUAND vous le voulez,
POURQUOI vous le voulez et
COMMENT vous allez vous y prendre pour l'obtenir.

COMMENT APPLIQUER
LES PRINCIPES DE CETTE LEÇON

La leçon préliminaire de ce cours vous a permis de vous familiariser avec le principe psychologique appelé le « génie organisateur ». Vous êtes maintenant prêt à l'utiliser comme moyen pour transformer votre *but principal clairement défini* en réalité. Pour réaliser cela, vous devez suivre un plan défini et pratique.

La première étape est de déterminer quel sera le but majeur de votre vie et de le préciser ensuite par écrit de façon claire et concise. Cette étape devrait également inclure la description écrite des autres projets que vous devrez réaliser pour parvenir à votre but.

COMMENTAIRE

> *Presque dix ans plus tard, lorsque M. Hill écrivit son fameux livre* Réfléchissez et devenez riche, *il mit encore plus d'emphase sur la nécessité qu'a une personne de mettre son but principal par écrit. Et, tel qu'il a été précédemment mentionné dans cette nouvelle édition révisée de* Les Lois du Succès, *la plupart des livres de croissance personnelle écrits depuis cette œuvre concordent tous à dire qu'il ne suffit pas de connaître son but sur une base intellectuelle; une personne doit s'engager par écrit. Si M. Hill croyait que l'acte lui-même était important, et si des centaines d'autres experts en motivation appuient ses dires, il serait alors bien absurde de ne pas suivre ce simple conseil. Faites-le maintenant.*

L'étape additionnelle consiste à former une alliance avec une ou plusieurs personnes qui coopéreront avec vous pour concrétiser vos plans en transformant votre *but principal* en réalité.

L'objectif de cette alliance amicale est d'utiliser la loi du génie organisateur pour soutenir la réalisation de vos plans. Cette collaboration devrait se faire avec des gens qui ont vos intérêts à coeur. Si vous formez un couple harmonieux dont l'union est basée sur une confiance mutuelle, votre conjoint devrait faire partie de cet accord, tout comme les membres de votre famille et vos amis intimes. Même si vous êtes célibataire, vous devriez trouver des gens de confiance désireux de se joindre à vos projets. Vous auriez intérêt à suivre ces conseils à la lettre, même si vous ne savez pas trop où cela vous mènera.

Les membres de votre alliance amicale qui s'unissent pour vous aider à la création d'un génie organisateur devraient cosigner et garder copie de votre *but principal clairement défini* pour être dûment informés et en être solidaires. À l'exception, cependant, de l'objet de votre but *clairement défini*. Le monde est rempli de « Thomas » et il ne vous sera d'aucun support qu'ils sabotent vos ambitions. Souvenez-vous que vous avez besoin d'encouragement et d'aide, non pas de dérision ni de doute.

Si vous croyez au bienfait de la prière, faites-en l'objet de votre recueillement au moins une fois par jour, ou plus souvent si possible. Si vous croyez qu'il existe un Dieu qui peut aider les gens servant avec droiture, il est normal de Lui adresser votre requête pour faciliter la réalisation du projet le plus important de votre vie. Si les membres de votre alliance adhèrent aux mêmes croyances, demandez-leur aussi d'inclure votre objectif dans leurs prières quotidiennes.

Laissez-moi maintenant vous exposer l'une des règles essentielles que vous *devrez absolument suivre.* Demandez à l'un ou à tous les membres de votre alliance amicale de vous dire, dans les termes les plus positifs et précis possibles, qu'ils croient fermement dans votre capacité à réaliser votre but *clairement défini.* Ce genre d'affirmation devrait vous être fait quotidiennement et plus souvent, si possible.

Ces étapes doivent être suivies assidûment, sans déroger, et avec la confiance absolue qu'elles vous conduiront là où vous voulez arriver! Vous ne devez pas vous contenter d'exécuter vos plans pendant quelques jours ou quelques semaines pour les oublier par la suite! *Vous devez suivre la procédure clairement défini jusqu'à l'atteinte de votre but principal déterminé, sans égard au temps requis.*

Il est parfois nécessaire de modifier les plans que vous aviez conçus pour la réalisation de votre but *principal clairement défini.* Faites ces changements sans hésiter, car nul n'est assez perspicace et prévoyant pour tracer des projets qui ne nécessitent aucune modification. Si un membre de votre alliance amicale perd la foi dans la loi du génie organisateur, renvoyez-le immédiatement et remplacez-le.

Andrew Carnegie me confia qu'il avait dû remplacer, au fil du temps, presque tous les membres de son génie organisateur de départ, par des gens plus enthousiastes et loyaux face à l'esprit et au but de leur alliance. Vous ne pouvez réussir l'atteinte de votre objectif si vous êtes entouré d'associés déloyaux et inamicaux. Le succès est bâti sur la loyauté, la foi, l'authenticité, la coopération et l'attitude positive qui doivent inspirer nos actions et celles des membres de notre alliance.

Si vous souhaitez former des alliances amicales avec vos collègues de travail, les mêmes règles s'appliquent. Votre *but principal clairement défini* peut ne bénéficier qu'à vous seul ou être partagé avec des collègues de votre milieu professionnel. La loi du génie organisateur agira de la même façon dans les deux cas. Si vous échouez, partiellement ou totalement, dans l'application de cette loi, c'est *qu'un membre ou l'autre de votre association n'est pas entré dans l'esprit de l'alliance avec foi, loyauté et authenticité.*

La dernière phrase vaut la peine d'être relue!

Votre *but principal clairement défini* devrait devenir votre « violon d'Ingres » qui ne vous quitte à aucun moment : vous devriez dormir, manger, vous amuser, travailler, vivre et *penser* en fonction de lui.

> # Négliger d'élargir
> # leur vision des choses
> # a forcé bien des gens
> # à ne faire qu'une seule chose
> # tout au long de leur vie.

Quel que soit votre objectif *raisonnable*, vous pouvez l'atteindre, si vous le voulez vraiment avec suffisamment d'intensité, de persévérance et de *foi*. Il y a une différence entre « désirer » quelque chose et *croire vraiment* à son accomplissement. L'incompréhension de cette nuance signifia l'échec pour des millions de personnes. Les gens efficaces sont les « croyants », peu importe le domaine. Ceux qui *croient* pouvoir atteindre l'objectif de leur *but principal clairement défini* ne connaissent ni le mot « impossible » ni la défaite temporaire. Ils *savent* qu'ils réussiront et, si un plan échoue, ils le remplaceront immédiatement par un autre.

Chaque réalisation remarquable connaît un certain recul temporaire avant l'arrivée au succès. Edison fit plus de dix mille expériences avant de réussir à faire enregistrer : *Marie avait un petit agneau* sur sa première machine parlante, le phonographe. S'il y a un mot qui devrait être mis en relief dans votre esprit, quant aux apprentissages reliés à cette leçon, c'est le mot *ténacité*!

Vous détenez maintenant la clé passe-partout de la réalisation. Vous n'avez qu'à ouvrir la porte du temple de la connaissance pour y pénétrer. Mais il faut vous rendre au temple, il ne viendra pas à vous. S'il s'agit de nouvelles lois pour vous, la démarche risque d'être difficile au début. Même si vous trébuchez plusieurs fois, poursuivez votre route! Très vite, vous arriverez au sommet de la montagne et vous verrez, dans les vallées qui s'étendent à vos pieds, le riche domaine de la *connaissance* qui vous récompensera pour votre foi et vos efforts.

Tout a un prix. Impossible d'obtenir quoi que ce soit pour rien. Lors de vos expériences reliées à la loi du génie organisateur, vous êtes en relation directe avec la nature, dans sa forme la plus élevée et la plus noble. La nature ne peut être trompée ou fraudée. Elle ne vous accordera l'objet de vos luttes que lorsque vous en aurez payé le prix par un *effort acharné, infaillible et continu!*

Que dire de plus sur ce sujet?

Je vous ai précisé *quoi faire, quand et comment le faire et pourquoi vous devriez le faire*. Si vous voulez maîtriser la prochaine leçon traitant de la confiance en soi, vous développerez alors votre foi en vous, ce qui vous permettra de concrétiser les informations reçues.

Parmi tous les mystères

de la vie,

rien n'est plus certain

que le fait d'être

en présence

d'une énergie infinie

et éternelle dont découlent

toutes choses.

- Herbert Spencer

« *Je suis le maître des destinées humaines!*

Renommée, amour et fortune attendent sur mes pas.

Je marche dans les villes et les campagnes;

Je pénètre mers et déserts lointains

En passant par les taudis, le marché et le palais royal.

Qu'il soit tôt ou tard, je frappe, spontanément,
une fois à chaque porte!

Si vous dormez, réveillez-vous!

Si vous festoyez, levez-vous avant que je m'en aille.

C'est l'heure fatidique

Et ceux qui me suivent atteignent
chaque état désiré par les mortels

Et vainquent chaque ennemi, sauf la mort;

Mais ceux qui doutent ou hésitent,

Condamnés à l'échec, à la pauvreté et au chagrin,

Me recherchent en vain et m'implorent inutilement.

Je ne réponds pas et je ne reviens plus!

John J. Ingalls

LEÇON 3

LA CONFIANCE EN SOI

∽ **Vous pouvez y arriver, si vous y croyez!** ↩

Avant d'aborder les principes fondamentaux sur lesquels se base cette leçon, je tiens à vous rappeler qu'ils représentent le résultat de plus de vingt-cinq années de recherche et qu'ils ont été testés et approuvés par les responsables de la communauté scientifique.

Le scepticisme est l'ennemi mortel du progrès et du développement personnel. Aussi bien arrêter la lecture de ce livre si vous pensez que cette leçon a été conçue par quelque théoricien farfelu qui n'en a jamais expérimenté les principes.

Le vingt-et-unième siècle n'est pas celui des sceptiques, car il a vu défiler plus de découvertes concernant les lois naturelles et leur maîtrise que dans toute l'histoire passée. En quelques décennies, nous avons été témoins de la maîtrise des airs et de l'exploration des océans; nous avons presque aboli les distances terrestres; nous avons dompté la foudre pour faire tourner la technologie industrielle; nous avons fait pousser sept brins d'herbe là où il n'y en avait qu'un seul auparavant; nous jouissons d'une communication instantanée entre les nations de la planète. Malgré tout cela, nous n'avons qu'à peine effleuré la surface de la connaissance. Mais quand nous aurons déverrouillé la porte qui mène au pouvoir secret résidant en chacun de nous, nous acquerrons une connaissance bien supérieure à toutes les découvertes passées.

La pensée est la forme connue d'énergie la mieux organisée. L'époque d'expérimentation et de recherche dans laquelle nous vivons nous apportera certainement une meilleure compréhension de cette force mystérieuse qui nous habite : *la pensée*. Nous en connaissons déjà suffisamment pour savoir qu'un individu peut éliminer les effets de la peur, accumulés depuis des centaines de générations, à l'aide du principe de *l'autosuggestion*. Nous avons déjà découvert que la peur est la cause majeure responsable de la pauvreté, de l'échec et de la misère sous mille formes différentes. De plus, nous avons observé que celui qui maîtrise la peur peut avancer vers la réussite de ses projets, peu importe la nature de l'entreprise et les obstacles mis sur sa route pour l'en empêcher.

Le développement de la *confiance en soi* commence par la mort de ce démon appelé « peur » qui s'installe sur l'épaule de l'homme pour lui murmurer à l'oreille: « Tu ne peux pas le faire, tu as peur d'essayer, tu as peur de l'opinion publique, tu as peur d'échouer, tu as peur de ne pas être capable. »

La science a trouvé une arme mortelle pour éradiquer ce démon de *la peur* qui rôde autour de nous : cette leçon sur la *confiance en soi* vous offre cette arme qui vous sera utile dans votre combat contre cette ennemie du progrès, *la peur!*

LES SIX PEURS ÉLÉMENTAIRES DE L'HUMANITÉ

À cause des lois de l'hérédité, nous sommes tous assujettis à six peurs élémentaires ou majeures dont découlent également des peurs mineures. Voici énumérées ces six peurs élémentaires accompagnées des causes qui les alimentent généralement. Les six peurs fondamentales sont :

- la peur de la pauvreté;
- la peur du vieillissement;
- la peur de la critique;
- la peur de la perte d'un amour;
- la peur de la maladie;
- la peur de la mort.

Étudiez cette liste, faites l'inventaire de vos propres peurs et classez-les sous celui des six énoncés que vous jugez le plus approprié.

Tout être humain, rendu à l'âge adulte, est à des degrés divers, assujetti à l'une ou plusieurs de ces six peurs élémentaires. Comme première étape pour arriver à enrayer ces peurs, nous tenterons d'analyser les sources qui les alimentent.

L'HÉRÉDITÉ PHYSIQUE ET SOCIALE

Tout ce que l'humain est devenu, tant physiquement que psychologiquement, est dû à deux formes d'hérédité : l'une physique, l'autre, sociale.

Par la loi de l'hérédité physique, l'homme évolua lentement de l'amibe (forme animale unicellulaire) jusqu'aux étapes de développement correspondant aux formes animales connues sur Terre, y compris celles qui sont maintenant disparues.

Au fil des siècles, l'homme a ajouté à sa nature des caractéristiques physiques: traits, morphologie et comportements qui lui sont propres et qui constituent un ensemble hétérogène. À n'en pas douter, les six peurs élémentaires ne peuvent provenir de notre hérédité physique (ces six peurs provenant de notre mental donc, il est impossible qu'elles nous aient été transmises par l'hérédité physique), mais elles ont trouvé un habitat des plus favorables.

> **Quand vous prenez rendez-vous avec quelqu'un, vous assumez la responsabilité d'être ponctuel et vous n'avez pas le droit d'avoir une seule minute de retard.**

La partie la plus importante du comportement humain lui est attribuée par la loi de l'hérédité sociale. Chaque génération communique aux esprits qui la composent ses superstitions, croyances, légendes et idées qu'elle a reçues de la génération précédente.

L'expression *hérédité sociale* signifie, dans ce contexte, toute source permettant d'acquérir une forme de connaissance, qu'elle soit de nature religieuse, littéraire, académique, transmise par la tradition orale ou par l'inspiration provenant des expériences d'autrui. Par exemple, tout éducateur, parent ou enseignant, qui a la charge d'enfants, peut, par un enseignement intensif, incruster une idée vraie ou fausse dans son esprit. L'enfant l'acceptera comme une vérité immuable qui fera partie intégrante de sa personnalité, au même titre qu'une cellule ou un organe fait partie de son corps et devient difficile à changer.

C'est par la loi de l'hérédité sociale que nous avons reçu, enfants, les dogmes religieux qui influencèrent notre esprit jusqu'à ce qu'il les accepte et les scelle à jamais comme faisant partie de nos croyances. Le cerveau d'un enfant est malléable, ouvert, pur et libre jusqu'à l'âge de deux ans. Toute idée semée dans son cerveau par une personne de confiance prendra racine et germera de façon à ne plus pouvoir être effacée, même si elle est contraire à la logique ou la raison.

Examinons maintenant quelles sont les sources d'où originent les six peurs élémentaires de l'être humain. Si vous avez suffisamment de maturité pour dépasser, temporairement du moins, vos superstitions et vos préjugés, vous pourrez vérifier la validité du principe de l'hérédité sociale relié aux six peurs élémentaires, et cela, sans sortir du cadre de vos expériences personnelles.

COMMENTAIRE

Au cours de toute sa vie, M. Hill a continué d'examiner les six peurs principales des êtres humains. Son interprétation apparaît de différentes variances. On la retrouve en premier dans la version originale de Les Lois du Succès, publiée sous forme de brochure. Dans l'appendice de la leçon UN, il énonce la liste des peurs dans un ordre différent. La peur de la maladie vient en troisième lieu et la peur de la critique, en cinquième; ici, leur position respective est renversée.

Dans son succès littéraire Réfléchissez et devenez riche, il cite les peurs dans l'ordre suivant : la pauvreté, la critique et la peur de la maladie sont énumérées comme étant les principales peurs et il certifie qu'elles sont le centre des inquiétudes d'une personne. Il est possible de constater ci-après sa fascination sur le sujet : « L'indécision est l'ensemencement de la peur. » Il continue en disant : « L'indécision se cristallise en doute et les deux deviennent la peur. » La peur, devient ensuite un symptôme de la pensée et de l'action que M. Hill nous enseigne à réformer.

Ses commentaires diffèrent quelque peu. Les virages les plus significatifs sont notés ci-après.

LA PEUR DE LA PAUVRETÉ

Il faut du courage pour nommer et accepter la vérité sur l'origine de cette peur. Elle est née de la tendance héréditaire de l'être humain à s'attaquer inlassablement à son semblable sur le plan financier. Presque toutes les espèces animales inférieures possèdent un instinct, mais ne semblent pas aptes à raisonner ni à penser : elles s'attaquent plutôt mutuellement dans un corps à corps. L'homme, doté d'intuition, du pouvoir de la pensée et de la raison, ne mange pas ses semblables au sens littéral, il retire plutôt sa satisfaction en les dévorant financièrement!

De toutes les époques, celle où nous vivons semble être vouée au culte de l'argent. Un individu n'est considéré par ses pairs que s'il possède un compte en banque bien garni. Comme rien ne génère autant de souffrance et d'humiliation que la pauvreté, rien d'étonnant à ce qu'elle suscite autant de crainte. Suite à un lourd héritage d'expériences vécues par l'homme-animal à travers les siècles, l'être humain enregistra avec certitude que son semblable n'était pas toujours digne de confiance quand des questions d'argent ou de possessions terrestres étaient en cause.

Bien des mariages se bâtissent ou se disloquent parce qu'ils sont uniquement fondés sur la richesse de l'un des partenaires. Rien d'étonnant à ce que les cours de justice soient si occupées! Le terme « société » pourrait à juste titre s'écrire « $ociété », car il est indissociablement lié à ce symbole.

L'être humain est si avide de posséder la richesse qu'il tâchera de l'acquérir peu importe la manière: légalement si possible, par d'autres méthodes, si nécessaire.

La peur de la pauvreté est une ennemie terrible!

Un individu peut tuer, escroquer, violer et bafouer les droits d'autrui de la pire façon, cela ne lui enlèvera pas l'estime de ses semblables, en autant qu'il ne perde pas sa fortune. Donc, la pauvreté est un crime, un vice impardonnable! Rien d'étonnant à ce que l'homme la craigne!

Tous les codes de lois illustrent de façon convaincante la force de cette peur, car ils regorgent de lois destinées à protéger le faible contre le fort. Tenter de faire la preuve que la pauvreté est une des peurs héritées ou que cette peur tire son origine de la nature de l'homme de berner ses pairs, serait comme de tenter de prouver que trois fois deux font six.

COMMENTAIRE

Dans l'appendice de la leçon UN : « Les êtres humains sont de tels offenseurs en ce sens que pratiquement tous les états américains et toutes les nations ont été obligés d'adopter des lois, des projets de lois, pour protéger les faibles des forts. Chaque code de loi déjà écrit procure une évidence indéniable qu'a la nature de l'humanité d'attaquer ses membres les plus faibles économiquement. »

Dans Réfléchissez et devenez riche, *M. Hill dresse la liste des six symptômes de la peur de la pauvreté comme étant : l'indifférence (manque d'ambition, paresse et ainsi de suite); l'indécision : le doute (exprimé par des alibis et des excuses); l'inquiétude (exprimée par le blâme); l'excès de précaution (démontré par une négativité générale); et la procrastination.*

Nul individu ne craindrait la pauvreté s'il avait un motif valable d'avoir confiance en son semblable. La nourriture, le logement, les vêtements et les produits de base sont en quantité suffisante pour arriver à combler les besoins de tous les habitants de la planète. Toute cette abondance pourrait se partager si ce n'était de cet « héritage » navrant consistant à repousser tous les autres « cochons » loin de l'auge, même après s'être rempli la panse plus que nécessaire.

LA PEUR DU VIEILLISSEMENT

Cette peur est fondée sur deux idées préconçues. La première est que la vieillesse peut engendrer la pauvreté. La deuxième, la plus répandue, fut véhiculée par certains enseignements sectaires terrifiants qui brandissaient le feu et le soufre du purgatoire et de l'enfer comme aboutissement de vie. Les hommes en arrivèrent à craindre la vieillesse parce qu'elle signifiait pour eux l'approche d'un autre monde, possiblement plus horrible que celui dans lequel ils se démenaient plutôt difficilement.

La peur élémentaire de la vieillesse a donc deux origines profondément ancrées en nous: d'abord le sentiment de méfiance ressenti envers quiconque pourrait s'emparer de nos possessions terrestres; puis, les nombreuses images menaçantes concernant l'au-delà, qui nous ont été transmises par la loi de l'hérédité sociale. Rien d'étonnant à ce que nous craignions l'approche de la vieillesse!

LA PEUR DE LA CRITIQUE

La façon dont l'homme acquit cette peur est quasi impossible à déterminer, mais nous pouvons avancer avec certitude qu'il la possède sous une forme très développée.

Certains humoristes ironisent que cette peur est apparue dans l'esprit humain avec l'arrivée des débats politiques. D'autres croient qu'elle découle de la première assemblée du « club des femmes » ou de la Bible qui foisonne de critiques venimeuses et violentes. Il est vrai que certains croient littéralement tout ce qui est décrit dans la Bible, et rendent Dieu responsable de cette peur inhérente de la critique.

Comme je ne suis ni humoriste ni prophète, j'analyse cette peur d'être critiqué sous un autre angle. Je serais porté à croire qu'elle s'inscrit dans cette partie de la nature héréditaire de l'être humain qui le pousse non seulement à s'emparer des biens et des richesses de son semblable, mais encore à justifier ses actions en le critiquant. La peur de la critique se manifeste de différentes façons qui sont presque toujours empreintes de mesquinerie dérisoire voire même puérile à l'extrême.

Les fabricants de vêtements n'ont pas été longs à capitaliser sur cette peur élémentaire de la critique qui concerne tous les individus. À chaque saison, les concepteurs réinventent le style pour augmenter les ventes auprès des consommateurs. Le manufacturier sait à quel point l'homme-animal craint de porter un vêtement démodé. Il en va de même pour les fabricants d'automobiles qui jouent sur cette crainte fondamentale. Votre propre expérience ne le confirme-t-elle pas?

Nous venons d'observer la façon dont les gens se comportent sous l'influence de la peur de la critique quand elle est reliée à des préoccupations anodines de la vie.

COMMENTAIRE

Selon un extrait du livre Réfléchissez et devenez riche *: « La peur de la critique dérobe une personne de son initiative, détruit son pouvoir d'imagination, limite son individualité, lui enlève son autonomie et lui cause des préjudices de mille et une façons. Les parents causent fréquemment d'irréparables torts à leurs enfants en les critiquant. On devrait considérer comme un crime (en réalité, ce l'est, un crime de la pire nature qui soit), qu'un parent bâtisse un complexe d'infériorité dans l'esprit de son enfant, à travers de la critique non nécessaire. Les employeurs qui comprennent la nature humaine obtiennent le meilleur de leurs employés, non pas par la critique mais par la suggestion constructive. »*

LA PEUR DE LA PERTE D'UN AMOUR

L'origine de cette peur nécessite peu d'explications, car il est évident qu'elle provient de la nature de l'homme qui l'incita à voler la femme de son prochain, ou en tout cas à prendre des libertés avec elle, en cachette de son « seigneur » et maître légitime.

La jalousie, ou toute autre forme de démence précoce, provient de la peur héréditaire de perdre l'amour de quelqu'un. De tous les fous sensés dont j'ai analysé le dossier, celui de la personne jalouse est le plus complexe. Je n'ai heureusement été confronté qu'à une seule expérience de ce genre de folie, mais elle m'en a suffisamment appris pour pouvoir affirmer que la peur de perdre l'amour d'un être cher est l'une des plus douloureuses, sinon la plus douloureuse. En effet, elle désorganise complètement l'esprit humain et peut mener aux formes les plus violentes d'aliénation permanente.

COMMENTAIRE

Provenant de l'appendice de la leçon UN : « Cette peur remplit les asiles de jaloux invétérés, car la jalousie n'est rien d'autre qu'une forme de démence. Elle remplit aussi les cours de divorces et est la cause de meurtres et autres causes de punition cruelle. C'est un abandon, transmis par l'hérédité sociale dès l'âge de pierre lorsque l'homme attaquait ses compatriotes en les volant par la force physique. La méthode, mais non la pratique, a maintenant changé jusqu'à un certain point. Au lieu de force physique, l'homme vole une autre personne en faisant miroiter des voitures rapides, de l'alcool, des diamants mirobolants et des domaines à faire rêver. »

LA PEUR DE LA MALADIE

Cette peur trouve son origine aux mêmes sources que la peur de la pauvreté et la peur de vieillir.

La peur de la maladie est associée étroitement à la pauvreté et à la vieillesse, car elle mène à la frontière de mondes terrifiants dont l'homme ne sait rien, mais dont il a entendu des récits alarmants.

Je soupçonne fortement les industries qui s'enrichissent en vendant toutes sortes de cures-santé de maintenir cette peur de la maladie bien vivante dans l'esprit des gens.

Les siècles ont vu défiler toute une panoplie de thérapies et de guérisseurs qui tentaient de les persuader de la nécessité de leurs produits ou de leurs services. C'est ainsi qu'au bout d'un certain temps, les gens ont hérité de cette peur de la maladie.

COMMENTAIRE

Provenant de l'appendice de la leçon UN : « Cette peur est née autant de l'hérédité physique que sociale. De la naissance à la mort, il existera toujours une bataille à l'intérieur de chaque corps physique; la bataille entre les différents groupes de cellules, un groupe étant reconnu comme étant les bâtisseurs amicaux du corps, et les autres comme étant les destructeurs, ou les « germes de la dégénérescence ». La semence de la mort est née en premier dans le corps physique, comme étant le résultat du plan cruel de la nature qui permet aux formes les plus fortes des cellules de la vie d'attaquer les plus faibles. L'hérédité sociale a joué une grande part par son manque de propreté et connaissance de l'hygiène. Aussi, par la loi de la suggestion clairement manipulée par ceux qui profitaient de la maladie. »

Dans Réfléchissez et devenez riche, *M. Hill suggère que la maladie provient de la peur : « Les impulsions de la pensée commencent immédiatement à s'imposer dans leur équivalence physique, que ces pensées soient volontaires ou involontaires... Toutes les pensées ont une tendance à se revêtir de leur équivalence physique. »*

LA PEUR DE LA MORT

Pour plusieurs, c'est la pire des six, pour des raisons bien évidentes! Les terribles angoisses associées à la mort peuvent être imputées directement au fanatisme religieux, source plus responsable que toutes les autres réunies.

Le soi-disant « barbare » ne craint pas autant la *mort* que l'homme civilisé, que la théorie des dogmes et les images de la mort ont assujetti. Depuis des siècles, l'être humain se pose ces questions qui sont restées sans réponses (et il est fort probable qu'il soit impossible d'y répondre) : *D'où suis-je venu?* et *Où vais-je après la mort?*

Les plus rusés ou les plus profiteurs ainsi que les plus sincères ou les plus naïfs n'ont pas tardé à proposer des réponses à ces questions, donnant ainsi naissance à des professions et des métiers parfois douteux, parfois bénéfiques pour les gens qui les consultaient dans l'espoir d'apaiser leurs angoisses face à cette fin assurée.

Voyéz maintenant la source principale de l'origine de la *mort*.

« Viens dans ma tente, embrasse ma foi, accepte mes dogmes (et paie-moi mon salaire) et je te donnerai un billet qui te vaudra une admission directe au ciel quand tu mourras, promettait le chef d'une secte. « Reste hors de ma tente, ajoutait-il, et tu iras directement en enfer où tu brûleras pour l'éternité. » Même si ce gourou improvisé est incapable de fournir un sauf-conduit pour le ciel ou une assurance contre la descente aux enfers, le spectre de souffrances qu'il présente à ses disciples est si terrible qu'elles prennent possession de leur esprit, créant cette peur horrible entre toutes : la peur de la *mort*.

Dans les faits, nul ne peut prouver l'existence du ciel et de l'enfer, ce qui ouvre grandes les portes de l'esprit humain aux charlatans de tout acabit qui ne demandent qu'à le manipuler par toutes sortes de supercheries et d'impostures.

En vérité, personne n'a jamais su où il était avant sa naissance ni où il allait après sa mort. Quiconque affirme le contraire est dans l'erreur ou est un imposteur qui se nourrit de la crédulité des gens pour exercer une activité qui ne rend aucun service valable. Ajoutons toutefois, à leur décharge, que la majorité de ces « vendeurs de billets pour le ciel » croient naïvement, en toute bonne foi, être détenteurs de ces vérités et aider les autres en leur transmettant.

Cette croyance peut être sommarisée en un seul mot : la *crédulité*.

Presque tous les chefs religieux ont la grande prétention de croire que la civilisation présente a survécu grâce au travail réalisé par les mouvements religieux à travers les siècles.

Je veux bien reconnaître l'importance et l'impact qu'ils ont eus dans notre société, mais je voudrais ajouter un bémol quant aux limites de l'influence qu'ils ont exercée.

La « civilisation », dans le sens où il s'agit de la découverte des lois naturelles et des nombreuses inventions dont le monde est présentement le légataire, ne peut être née de l'effort concerté des églises organisées et de leurs credos. Je veux bien que les gens d'Église réclament cette part de la civilisation qui concerne la conduite de l'homme envers son prochain, mais je m'objecte énergiquement à ce qu'ils s'approprient le crédit de toutes les découvertes scientifiques de l'Histoire.

COMMENTAIRE

Toujours selon l'appendice : « Vous pouvez concocter et mettre en action un plan d'attaque contre la peur. Demandez-vous laquelle des six peurs vous cause le plus grand tort.

«Nous découvrons lentement un peu plus à propos des six peurs de base. La façon la plus efficace de les combattre est la connaissance organisée. L'ignorance et la peur sont jumelles. Elles sont généralement liées l'une à l'autre. Les six peurs de base disparaîtraient de la pensée humaine si ce n'était de cette ignorance. Dans chaque librairie publique, vous pouvez trouver le remède pour guérir ces six ennemis.

« Débutez par Essay on compensation *de Ralph Waldo Emerson. Ensuite, choisissez un des autres livres sur l'autosuggestion et informez-vous au sujet du principe par lequel vos croyances d'aujourd'hui deviennent vos réalités de demain.*

« Par le principe de l'hérédité sociale, l'ignorance et la superstition du passé vous ont été transmises. Mais vous vivez dans une ère moderne. En toute circonstance, vous pouvez constater l'évidence

même que chaque effet a une cause naturelle. Commencez dès maintenant à étudier les effets par leurs causes et, rapidement, vous libérerez votre esprit du fardeau des six peurs fondamentales.

« Commencez en choisissant deux personnes que vous connaissez bien; une devrait représenter votre idée de ce qu'est l'échec et l'autre devrait correspondre à votre idée de la réussite. Découvrez ce qui a rendu l'un perdant et l'autre gagnant. Obtenez les faits réels. Au cours de vos recherches, vous aurez vous-même appris une grande leçon sur la cause et l'effet.

« Rien n'arrive par hasard. En un seul mois d'application bien utilisée d'autosuggestion, vous pourrez supprimer chacune de vos six peurs de base. En douze mois d'efforts tenaces, vous pourrez conduire ce troupeau nocif dans un coin à partir duquel, il ne pourra plus jamais vous causer quelque tort que ce soit.

« Vous ressemblerez demain aux pensées dominantes que vous entretenez dans votre esprit aujourd'hui. Plantez dans votre esprit la semence de la détermination pour fouetter vos six peurs de base et la bataille aura été à moitié gagnée pour maintenant et toujours. Conservez cette intention dans votre esprit et elle repoussera lentement vos six pires ennemies de votre champ de vision, car elles n'existent nulle part ailleurs que dans votre esprit.

« Une personne puissante n'a peur de rien; même pas de Dieu. La personne puissante aime Dieu, mais ne Le redoute jamais. Une puissance à toute épreuve ne naît jamais de la peur. Tout pouvoir bâti sur la peur est appelé à s'écrouler et se désintégrer. Comprenez cette grande vérité et vous n'aurez jamais plus la malchance d'essayer de vous élever vers le pouvoir à travers les peurs dans lesquelles certaines personnes veulent vous garder captif. »

DE QUELLE FAÇON LES LEÇONS SONT-ELLES APPRISES?

Il serait insuffisant de dire que l'hérédité sociale est la méthode par laquelle l'homme assemble toutes les connaissances qui touchent ses cinq sens. Il sera plus pertinent d'établir *comment* fonctionne l'hérédité sociale en vous présentant des applications concrètes favorisant une meilleure compréhension de cette loi.

Heureux êtes-vous si vous avez appris
la différence entre la défaite temporaire et
l'échec; plus heureux encore,
si vous avez appris cette vérité :
la graine du succès repose dans tous
les insuccès que vous expérimentez.

COMMENTAIRE

D'une façon tout à fait appropriée, M. Hill utilise des histoires d'animaux comme moyens de discussion du développement du caractère humain. Ses fréquentes références à la Bible de la Nature démontrent qu'il croyait que les êtres humains faisaient partie de la Nature. Mais il accorde aussi une très grande importance à l'environnement social humain. En soupesant les influences relatives de la nature et de la nourriture, M. Hill utilise le terme hérédité physique *à l'instar de ce qu'on pourrait aujourd'hui qualifier de prédisposition génétique. En utilisant le terme* hérédité sociale*, il veut seulement dire ce qu'on qualifie aujourd'hui de* conditionnement *ou* conditionnement social *ou* socialisation.

LA LOI DE L'HÉRÉDITÉ SOCIALE

Amorçons cette analyse en observant quelques-unes des formes les plus inférieures de vie animale et voyons comment elles sont affectées par la loi de l'hérédité sociale.

COMMENTAIRE

Plusieurs auteurs et conférenciers du temps de M. Hill s'enorgueillissaient d'être des raconteurs et ils prenaient souvent leurs exem-

ples à partir du fabuleux monde de la nature, ce qui captivait et gardait l'attention, tout en transmettant les points qu'ils désiraient faire comprendre. Toutefois, l'Amérique dans laquelle nous vivons aujourd'hui n'est pas aussi bucolique que l'époque dans laquelle a grandi M. Hill. Il y a beaucoup moins de capture de grenouilles dans les marécages ou de chasse aux papillons dans les champs, car les enfants croient que les poulets proviennent du supermarché en paquets emballés de six cuisses ou poitrines.

Pour cette raison, alors que cette nouvelle édition révisée était en préparation, il y eut une longue discussion entre les éditeurs à propos de l'inclusion des analogies d'animaux de M. Hill. Il en a été conclu que les points émis sont aussi valides aujourd'hui qu'ils l'étaient lorsqu'il les a écrits. Bien qu'ils puissent être considérés comme étant farfelus aux lecteurs d'aujourd'hui, les histoires procurent une compréhension intéressante de l'époque de Napoleon Hill.

Il y a une trentaine d'années, après le début de mes recherches sur les principales sources de connaissances qui ont fait de l'homme ce qu'il est aujourd'hui, je fis la découverte d'un nid de gélinottes huppées.

À l'aide de mes lunettes d'approche, j'examinai l'activité qui s'y déroula jusqu'à la ponte des œufs. Mon observation quotidienne débuta plus attentivement quelques heures après la naissance des oisillons et je m'approchai du nid pour voir comment réagirait la mère. Quand je fus à une distance de trois ou quatre mètres, elle ébouriffa ses plumes, étendit une aile sur sa patte et joua l'oiseau blessé en boitillant. Étant familier de ces ruses, je passai outre et me rendit au nid pour regarder les oisillons. Sans le moindre signe de peur, ils me fixèrent en hochant la tête. Je tendis la main pour en prendre un. Sans effroi apparent, il resta dans la paume de ma main jusqu'à ce que je le remette dans le nid et m'éloigne suffisamment pour permettre le retour de sa mère.

L'attente fut brève. Très vite, elle se fraya précautionneusement un chemin vers le nid. Arrivée à quelques mètres, elle ouvrit les ailes en courant rapidement et en lançant une série de cris, telle une poule appelant ses poussins pour partager la nourriture trouvée. Elle rassembla ses petits autour d'elle et continua à piailler avec excitation, secouant ses ailes et gonflant ses plumes. On pouvait presque traduire les propos qu'elles servait à ses rejetons concernant leur première leçon d'autodéfense reliée à la loi de l'hérédité sociale :

« Bande de petits idiots! Ne savez-vous pas que les hommes sont nos ennemis? Honte à vous d'avoir permis à cet individu de vous prendre dans ses mains! Il est étonnant qu'il ne vous ait pas emportés pour vous manger vivants. La prochaine fois, sauvez-vous! Couchez-vous sur le sol, courez sous le feuillage, allez n'importe où pour être hors de vue, et restez-y jusqu'à ce que l'ennemi soit loin! »

Les oisillons rassemblés semblaient écouter avec intérêt le discours de leur mère. Une fois le calme revenu, je me dirigeai de nouveau vers le nid et la mère recommença le même manège pour détourner mon attention. Quand je m'approchai du nid pour regarder les petits, ils avaient disparu, restant introuvables! Grâce à leur instinct, ils avaient vite appris à éviter leur ennemi naturel. Je me retirai de nouveau, attendis que la mère ait rassemblé sa famille et revins au nid, mais la même scène se répéta.

En approchant de l'endroit où j'avais vu la mère pour la dernière fois, je ne pus trouver le moindre signe de la présence des oisillons.

Quand j'étais petit garçon, je capturai un jeune corbeau et m'en fis un ami; il appréciait son environnement et je lui appris des trucs exigeant une certaine « intelligence ». Quand il fut assez grand pour voler, il partait pour plusieurs heures, mais revenait toujours chez moi avant la nuit.

Un jour, des corbeaux sauvages engagèrent un combat avec un hibou, dans un champ près de chez moi. Dès qu'il entendit le croassement de ses cousins sauvages, il vola sur le toit de la maison en donnant les signes d'une extrême agitation tout en sautillant d'un bout à l'autre de la maison. Finalement, il s'envola vers la bagarre. Je le suivis pour voir ce qui arriverait. Je le retrouvai, perché sur les branches basses d'un arbre, alors que deux corbeaux sauvages postés juste au-dessus, jacassaient et sautillaient de long en large, se comportant comme des parents outrés face à leur progéniture qu'ils réprimandent.

Comme je m'approchais, les deux corbeaux sauvages s'envolèrent, l'un volant en cercles autour de l'arbre, tout en croassant un flot d'injures destinées sans doute à son stupide compagnon, trop bête pour s'envoler pendant qu'il en était encore temps. J'appelai en vain mon gentil corbeau. Ce soir-là, il revint dans les environs, mais sans s'approcher de la maison. Il se posa sur la branche haute d'un pommier et croassa pendant une dizaine de minutes, m'expliquant sans doute pourquoi il avait décidé de retourner à la vie sauvage. Il ne revint que deux jours plus tard, pour jacasser encore en corbeau, tout en restant à bonne distance. Il repartit et ne revint jamais.

L'hérédité sociale m'avait enlevé mon animal favori! La seule consolation que je retirai de cette perte fut la pensée qu'il avait bien agi à mon égard en revenant m'aviser de son intention de partir. Bien des gens nous quittent sans se soucier de cette formalité!

––––––––––

Le renard est un prédateur qui s'attaque à la volaille et aux petits mammifères, mais il résiste à la mouffette pour des raisons qui se passent d'explication. Les plus jeunes peuvent s'y risquer une fois, jamais deux!

C'est pourquoi le repaire d'une mouffette, près d'un poulailler, gardera à bonne distance tous les renards, sauf les plus jeunes qui sont moins expérimentés. Quand on a respiré l'odeur d'une mouffette, on ne l'oublie jamais : aucun autre arôme ne s'en approche.

Une seule leçon suffit au renard pour l'en éloigner à jamais. La loi de l'hérédité sociale, opérant par l'entremise de l'odorat, imprègne une leçon pour toute la vie.

––––––––––

La grenouille taureau d'Amérique, le ouaouaron, peut être capturée avec une canne à pêche si on attache à l'hameçon un petit morceau de tissu ou tout objet rouge que l'on agite devant les yeux de l'animal qui cherchera à le mordre. S'il est mal accroché et réussit à s'échapper, ou s'il sent la pointe de l'hameçon en cherchant à mordre, il ne refera jamais plus la même erreur. J'ai passé bien des heures à tenter de capturer en vain un spécimen particulièrement tentant qui avait mordu et s'était enfui. Mais, une seule leçon d'hérédité sociale avait suffi pour apprendre à un humble coasseur que les morceaux de flanelle rouge sont des tentations à éviter.

J'ai déjà été le maître d'un superbe chien, un Airedale, qui me créa beaucoup d'ennuis à cause de sa malencontreuse habitude de rentrer à la maison avec un jeune poulet dans la gueule. J'avais beau lui retirer l'animal et lui administrer une bonne fessée, rien n'y faisait : il persévérait dans son amour de la volaille.

À titre d'expérimentation sur l'hérédité sociale, je confiai mon chien à un fermier du voisinage qui avait une poule et des poussins, fraîchement éclos. La poule fut placée dans la grange avec le chien et je me cachai pour observer la scène. Après quelques instants, il s'en s'approcha lentement, renifla dans sa direction une ou deux fois pour s'assurer de la qualité du produit, puis fonça sur elle.

De son côté, madame poule, aux aguets, s'élança toutes griffes dehors, attaque que mon chien expérimentait pour la première fois. Le premier assaut était clairement à l'avantage de la poule, ce qui ne découragea pas mon chien : un bel oiseau dodu n'échapperait pas aussi facilement à ses mâchoires! Il recula donc légèrement et chargea de nouveau. Cette fois, la poule sauta sur son dos, le laboura de ses griffes et le piqua efficacement de son bec acéré! Le chien recula dans ses quartiers, regardant dans tous les sens comme s'il attendait le son du gong qui arrêterait le combat pendant qu'il reprenait son souffle. Mais la poule ne perdit pas de temps en délibérations : son adversaire fuyait et elle montra qu'elle connaissait la valeur de l'attaque en le poursuivant.

Tout comme dans les histoires précédentes, je pouvais presque saisir les mots dont elle fustigeait mon pauvre canin, le repoussant d'un coin à l'autre, poursuivant son caquetage aigu qui ressemblait aux remontrances d'une mère en colère hurlant pour défendre sa progéniture contre l'attaque de gamins plus âgés.

Mon Airedale s'avéra être un piètre soldat! Après avoir couru dans tous les coins de la grange pendant deux bonnes minutes, il s'affala en s'aplatissant sur le sol et fit de son mieux pour protéger ses yeux avec ses pattes, car l'attaquante semblait déterminée à les lui crever.

Le fermier, alerté par les cris de sa volaille, entra pour lui porter secours, ce qui ne sembla pas du tout déplaire à mon chien.

Le lendemain, un poulet fut placé dans la cave où il dormait. Dès qu'il vit l'oiseau, il mit sa queue entre ses pattes et fila dans un coin! Plus jamais il n'essaya de s'en prendre à un poulet. Un seule leçon d'hérédité sociale, donnée par le sens du toucher, avait suffi pour apprendre à mon chien que si la chasse au poulet pouvait donner du plaisir, elle comportait aussi beaucoup de risques.

Ces exemples illustrent bien le processus d'accumulation de connaissances par l'expérience directe. Notez la différence marquée entre la connaissance acquise par expérience directe et celle qui vient de l'entraînement de jeunes par leurs aînés, comme dans le cas de la gélinotte huppée et de ses petits. Les leçons les plus marquantes sont celles qui nous sont transmises par nos aînés, grâce à des histoires ou des légendes colorées et émouvantes qui marquent notre imaginaire. Quand la mère gélinotte agitait ses ailes, ébouriffait ses plumes, boitillait comme un estropié souffrant de tremblements et que, très excitée, elle piaillait à ses petits, elle implantait la peur de l'homme en eux à tout jamais.

Les termes *hérédité sociale*, utilisés dans cette leçon, englobent toutes les méthodes d'enseignement destinées à inculquer aux enfants des connaissances, des valeurs religieuses ou sociales, des règles de conduite et d'éthique véhiculées soit par leurs parents, leurs éducateurs ou toute personne ayant autorité sur eux avant qu'ils aient atteint l'âge de raisonner à leur façon, soit entre sept et douze ans.

> N'est-il pas étrange de craindre
>
> ce qui n'arrive jamais,
>
> de détruire notre initiative
>
> par peur de l'échec?
>
> En fait,
>
> l'insuccès est un
>
> tonifiant des plus motivants
>
> et devrait être perçu ainsi?

LA PEUR AU MITAN DE SA VIE

Comme nous l'avons vu, il y a plusieurs formes de *peur*, mais les plus terribles sont celles de la pauvreté et de la vieillesse. Hantés par la crainte de la pauvreté, nous malmenons nos corps comme des esclaves, sous prétexte d'amasser de l'argent pour notre vieillesse! Cette peur nous domine tellement que nous malmenons notre corps au point de lui infliger ce que nous souhaitions lui éviter.

Quelle tristesse de voir un individu se surmener à l'approche de la quarantaine, à l'âge où il commence tout juste à acquérir la maturité mentale! C'est la période de sa vie où il commence à voir, comprendre et assimiler le livre de la Nature, tel qu'il apparaît dans les forêts et les ruisseaux ondoyants, sur le visage des hommes et des enfants. Mais, le démon de la peur le domine tant, qu'il reste aveuglé et emmêlé dans l'enchevêtrement du dédale des désirs contradictoires. Il perd de vue le principe de l'effort organisé en défiant les forces naturelles qui l'entourent et qui lui permettraient de le transporter vers des sommets de grandes réalisations. Faute de quoi, ces forces deviennent alors destructrices.

LE POUVOIR DE LA CONFIANCE EN SOI

La force naturelle la plus propice et la plus disponible pour favoriser notre développement est sans contredit le principe de l'autosuggestion. Mais, l'ignorance du fonctionnement de cette force conduit la majorité des gens à l'appliquer inadéquatement, de telle sorte qu'elle devient un handicap plutôt qu'une aide.

Examinons de plus près quatre exemples qui démontreront les conséquences néfastes qu'une mauvaise application de cette force naturelle peut engendrer.

Prenons le cas d'un individu qui vient de vivre une déception: un proche l'a trahi ou un voisin l'a ignoré. Suite à cela, il conclut que personne n'est digne de confiance et que les voisins ne sont pas intéressants. Ces pensées, par autosuggestion, s'implantent si profondément dans son subsconscient qu'elles commencent à fausser son attitude envers les autres. Si vous relisez les propos de la deuxième leçon concernant les pensées dominantes de notre esprit qui attirent les gens qui ont des pensées similaires, vous verrez où je veux en arriver. Appliquez la loi de l'attraction et vous comprendrez vite pourquoi l'incrédule attire d'autres incrédules.

> **Votre travail et le mien sont singulièrement semblables: j'aide les lois de la nature à créer des spécimens de végétation plus parfaits, tandis que vous utilisez ces mêmes lois, à travers la philosophie des *Lois du Succès*, pour créer des spécimens de penseurs plus parfaits.**
>
> **- *Luther Burbank***

Maintenant, inversons le principe: voici un individu qui ne voit que le meilleur chez les gens qu'il rencontre. Si ses voisins lui semblent indifférents, il n'en tient pas compte, car il se fait un *devoir* de remplir son esprit de pensées dominantes axées sur l'optimisme, la bonne humeur et la foi en son prochain. Si on lui parle durement, il répond avec douceur. Par l'opération de cette même loi universelle de l'attraction, il attire **sur lui** l'attention de personnes ayant une attitude et des pensées dominantes face à la vie qui s'harmonisent avec les siennes.

Avançons un peu plus loin dans la compréhension de ce principe: voici un individu instruit qui aurait de grandes capacités pour se réaliser professionnellement. Enfant, on lui a inculqué que la modestie était une grande vertu et que se pousser à l'avant de la scène démontrait une attitude égocentrique. Il s'introduit donc discrètement par la porte arrière, prend un siège au fond, tandis que les autres joueurs se placent audacieusement à l'avant. Il reste à l'arrière parce qu'il a *peur* « de ce qu'ils diront ». L'opinion publique, ou l'idée qu'il s'en fait, l'a relégué au second plan et on n'entend guère parler de lui. Son éducation et sa scolarisation ne comptent plus, parce qu'il *craint* que les autres s'en aperçoivent. Il s'autosuggestionne ainsi négativement sur la nécessité de rester là où il est pour éviter les critiques, comme si elles pouvaient nuire à ses projets.

Voici le cas d'une femme, née de parents pauvres. Aussi loin que remontent ses souvenirs, ce ne sont que des signes évidents de pauvreté : elle a senti sa main glacée sur ses épaules et l'a fixée dans son esprit comme une malédiction à laquelle elle *devait se soumettre*. Inconsciemment, elle s'est autorisée à devenir la victime de cette croyance : *Pauvre un jour, pauvre toujours*, jusqu'à ce qu'elle devienne la pensée dominante de son esprit. Cette personne ressemble à un cheval qu'on a harnaché et dompté jusqu'à lui faire oublier la puissance qu'il détenait pour se défaire de ses liens. L'autosuggestion l'a reléguée rapidement dans les coulisses de la scène de la vie où elle est devenue un être dépourvu d'ambition. Si une opportunité se présentait, elle ne la verrait pas. Elle *a accepté son DESTIN!* Les facultés de l'esprit, comme les membres du corps, s'atrophient et se flétrissent quand on ne les utilise pas. La confiance en soi ne fait pas exception. Elle se développe si on l'active, mais disparaît quand on la néglige.

Un des inconvénients majeurs concernant le fait d'être bénéficiaire d'un important héritage est que cela mène trop souvent à l'inaction et à la perte de confiance en soi. Il y a quelques années, une dame richissime de Washington, dont la fortune était évaluée à quelque cent millions de dollars, eut un fils dont nurses, aides-nurses, détectives et autres serviteurs veillaient au confort et à la sécurité. Cette protection exagérée se poursuivit durant toute son enfance; les serviteurs faisaient tout pour lui : ils l'habillaient, le surveillaient pendant qu'il dormait ou s'amusait. Il n'était autorisé à faire quoi que ce soit qu'un serviteur puisse faire à sa place. Un jour qu'il jouait dans le jardin, il remarqua la barrière entrouverte qu'il n'avait jamais franchie seul et, profitant d'un moment d'inattention des serviteurs, il ressentit une envie irrésistible de s'y faufiler. Il courut vers la sortie et mourut aussitôt, écrasé par une voiture, avant même d'arriver au milieu de la rue. À force de vivre par le regard de ses serviteurs, il en avait perdu l'efficacité visuelle qui sert à réagir dans les moments opportuns.

Il y a vingt ans, l'homme qui m'employait comme adjoint avait deux fils aux études : l'un à l'Université de Virginie et l'autre dans un collège new-yorkais. L'une de mes tâches consistait à leur envoyer un chèque mensuel de cent dollars en guise d'argent de poche. Je repense encore à l'envie que je nourrissais envers ces garçons privilégiés, me demandant pourquoi la main du destin m'avait mis au monde dans la pauvreté. J'imaginais leur avenir et leur réussite assurée vers les plus hauts échelons tandis que je resterais sûrement un humble serviteur.

Une fois diplômés, les garçons revinrent habiter sous le toit familial. Leur père était devenu un homme puissant et riche, propriétaire de banques, de chemins de fer, de mines de charbon et d'autres possessions de grande valeur. Des postes de direction leur étaient donc destinés dans les entreprises paternelles.

Mais une période de vingt ans peut jouer des tours cruels à ceux qui n'ont jamais eu à lutter. En plus de leurs diplômes, les deux jeunes hommes avaient rapporté dans leurs bagages un penchant prononcé pour l'alcool, une habitude acquise grâce à la centaine de dollars que chacun recevait mensuellement, leur rendant toute lutte inutile. C'est la triste issue de leur vie qui nous concerne ici, bien plus que les détails de leurs échecs. Alors que j'écris cette leçon, j'ai devant moi une copie du journal publié dans la ville où vivait cette famille : le père fit banqueroute, le riche manoir familial fut vendu, l'un des garçons mourut du *delirium tremens* et l'autre fut interné dans un asile.

Ce ne sont pas tous les enfants de riches qui vivent de tels tourments : les valeurs transmises par leurs parents jouent un rôle primordial dans la conception des efforts à fournir. Il faut garder en tête que l'inaction engendre la détérioration qui conduit à la perte de l'ambition et de la confiance en soi. Sans ces qualités essentielles, un individu passera sa vie à planer sur les ailes de l'incertitude, tout comme une feuille morte transportée çà et là au gré des vents dominants.

Loin d'être un inconvénient, la lutte est un avantage décisif, car elle développe des qualités qui sommeilleraient sans cet effort. Bien des gens ont trouvé la place qui leur convient dans la vie parce qu'ils ont dû lutter tôt pour y arriver. L'ignorance des avantages de cette lutte incita bien des parents à dire : « J'ai dû travailler fort quand j'étais jeune, *mais je verrai à ce que mes enfants aient la vie facile !* » Pauvres inconscients ! Une vie *facile* est généralement un handicap plus grand que tout autre travail, car elle est souvent source d'oisiveté. Être tenu de travailler, et ce, *de votre mieux,* fera naître en vous la modération, la maîtrise de soi, la volonté, la satisfaction et cent autres vertus que l'oisif ne connaîtra jamais.

Non seulement l'absence de la nécessité de lutter réduit-elle l'ambition et la volonté, mais, ce qui est encore plus menaçant, elle crée un état de léthargie qui *annihile* la confiance en soi. L'individu qui cesse de lutter, parce que l'effort n'est plus nécessaire, applique littéralement le principe de l'autosuggestion en ébranlant sa capacité de se faire confiance. Il risque de dériver vers un état d'esprit qui lui fera mépriser la personne qui est forcée de lutter. Au risque de me répéter, l'esprit humain se compare à une batterie électrique et la confiance en soi constitue la charge positive qui permet à l'esprit de se recharger.

Appliquons ce raisonnement à la vente pour observer quel rôle joue la confiance en soi dans ce domaine. Voici comment un simple employé de bureau, travaillant dans un journal, acquit la réputation de « meilleur vendeur de notre époque ». C'était un jeune homme timide, de nature plutôt réservée, l'un de ceux qui croient qu'il vaut mieux se glisser par la porte arrière et prendre un siège au fond. Un soir, il assista à une conférence portant sur la confiance en soi. Il fut si bouleversé par les propos du conférencier qu'il retourna chez lui, fermement résolu à se sortir de l'ornière où il s'était enlisé.

Il alla rencontrer le directeur du journal pour solliciter un emploi de représentant publicitaire, ce qu'on lui accorda moyennant un salaire basé sur la commission. Tous prévoyaient un échec, à cause du tempérament fonceur qu'exige ce type de vente. Il établit une liste de commerçants qu'il avait l'intention de visiter. Il ne s'agissait aucunement, comme on pourrait le croire, de clients nécessitant un minimum d'efforts pour les convaincre, mais plutôt de commerçants que d'autres solliciteurs avaient déjà visités sans conclure de marché. Sa liste ne comprenait que douze noms. Avant chaque visite, il se rendait au parc municipal, la lisait une centaine de fois, tout en se répétant: « *Vous m'achèterez un espace publicitaire avant la fin du mois.* » Puis, il partait à ses rendez-vous.

Le premier jour, il conclut une vente avec trois des douze « irréductibles ». Le reste de la semaine, il en convainquit deux autres. À la fin du mois, il avait ouvert des comptes publicitaires avec tous les commerçants de sa liste, sauf un. Le mois suivant, il ne fit aucune vente, parce qu'il ne rendit visite qu'à ce commerçant obstiné. À tous les matins, quand le commerçant ouvrait son magasin, il était là pour tenter de le convaincre et, à tous les matins, le commerçant refusait son offre, sachant très bien qu'il ne lui achèterait aucun espace publicitaire, ce que notre vendeur ignorait. Imperturbable, il poursuivait ses visites. Le dernier jour du mois, après avoir refusé ses services trente fois de suite, le marchand lui demanda:

« Écoutez, jeune homme, vous avez perdu tout un mois à tenter de me persuader. J'aimerais maintenant savoir pourquoi vous avez ainsi perdu votre temps.

- Je n'ai pas perdu mon temps, répliqua-t-il, je suis allé à l'école et vous avez été mon professeur. Maintenant, je connais tous les arguments qu'un commerçant peut invoquer pour refuser d'acheter. De plus, j'ai pratiqué ma confiance personnelle.

- Je vais vous faire une petite confession, dit le marchand. Moi aussi, je suis allé à l'école et vous avez été mon professeur. Vous m'avez donné une leçon de persévérance qui vaut beaucoup d'argent à mes yeux. Pour vous montrer ma gratitude, je vais payer mes frais de scolarité en vous achetant un espace publicitaire! »

C'est ainsi que le plus gros compte de publicité du *Philadelphia North American* vit le jour. Ce fut aussi le début d'une réputation qui rendit ce jeune vendeur millionnaire. Il avait réussi, grâce à sa confiance en lui, à dompter délibérément son esprit à devenir une force irrésistible. Quand il avait établi la liste de ses clients potentiels, il avait fait ce que 99% des gens n'auraient pas osé faire : choisir les plus difficiles à convaincre! Il savait déjà que la résistance qu'il rencontrerait en les sollicitant provoquerait une puissance et une confiance en lui supérieures à tout. Il était l'un des rares à avoir compris que certaines rivières et certaines personnes sont détournées de leur but parce qu'elles ne sont pas prêtes à fournir les efforts.

———————————

Permettez-moi une petite digression et abandonnons momentanément le fil de nos pensées pour adresser un avis aux conjoints, car ayant analysé plus de seize mille personnes, dont la majorité étaient des couples, j'ai appris une chose qui pourrait être fort utile aux partenaires des deux sexes.

Quand votre partenaire quitte la maison le matin, pour se rendre à son travail, il est en votre pouvoir de lui refléter sa confiance personnelle qui lui fera vaincre les difficultés de la journée. L'une de mes connaissances épousa une femme qui avait de fausses dents. Un jour que son dentier se brisa, son mari ramassa les morceaux et les examina avec tant d'intérêt que son épouse lui suggéra d'en faire son métier. L'homme, un fermier dont les ambitions n'étaient jamais allées plus loin que les limites de sa petite ferme, se laissa convaincre par ses propos encourageants et devint l'un des meilleurs dentistes de la Virginie. Je le connais bien: c'est mon père!

> **Personne ne peut devenir un grand leader,**
>
> **à moins d'avoir dans son coeur**
>
> **de la tendresse envers ses pairs**
>
> **et qu'il mène par la persuasion et la bonté,**
>
> **plutôt que par la force.**

Nul ne peut prévoir les réalisations et les performances incroyables qui peuvent être accomplies lorsque les conjoints se soutiennent et se stimulent mutuellement pour tenter des initiatives plus grandes. Il vous revient d'encourager votre conjoint en le poussant vers de grandes réalisations jusqu'à ce qu'il trouve la voie qui lui convient. Vous pouvez, mieux que quiconque, l'inciter à fournir un plus grand effort. C'est à vous de le convaincre que rien de raisonnable n'est au-delà de sa puissance de réalisation, ce qui l'aidera à viser haut.

Un homme d'affaires bien connu admit un jour qu'il était redevable de tout son succès à sa conjointe. Au début de leur mariage, elle écrivit ce credo qu'il signa et plaça sur son bureau :

Je crois en moi. Je crois en ceux qui travaillent avec moi. Je crois en mon employeur. Je crois en mes amis. Je crois en ma famille. Je crois que Dieu m'accordera tout ce dont j'ai besoin pour réussir si je fais de mon mieux pour le mériter, en Le servant fidèlement et sincèrement. Je crois en la prière et ne sombrerai pas dans le sommeil sans avoir prié pour recevoir l'aide divine afin d'être patient envers les autres et tolérant envers ceux qui n'ont pas les mêmes croyances que moi.

Je crois que le succès est le résultat d'un effort intelligent et ne dépend ni de la chance, ni de procédés déloyaux, ni de trahison envers mes amis, mes semblables ou mon patron. Je crois que je récolterai de la vie exactement ce que j'y aurai semé. Je veillerai donc à me conduire envers les autres comme je voudrais qu'ils se conduisent envers moi. Je ne calomnierai pas ceux que je n'aime pas. Je ne ralentirai pas mon travail, peu importe l'attitude des autres. J'offrirai le meilleur service possible, car je me suis fait la promesse de réussir ma vie et je sais que le succès est toujours le résultat d'un effort consciencieux et efficace. Enfin, je pardonnerai à ceux qui me blessent, car il m'arrivera peut-être de blesser autrui et j'aurai alors besoin de leur pardon.

Signé ....

La femme qui avait composé ce credo était une fine psychologue. L'influence positive d'une telle conjointe favorise l'atteinte d'un succès assuré. Ce credo commence par une affirmation de confiance en soi et utilise abondamment le pronom « je ». Nul ne pourrait faire sien ce credo sans développer l'attitude positive lui permettant d'attirer les gens qui l'aideront à atteindre le succès.

Si vous voulez qu'une chose soit bien faite, demandez à une personne occupée de l'accomplir. Les gens occupés sont généralement les plus soigneux et les plus consciencieux dans tout ce qu'ils font.

Toutes les personnes qui travaillent dans la vente devraient adopter ce credo, et cela ne vous nuirait sûrement pas si vous le mettiez *en pratique* aussi. Lisez-le jusqu'à ce que vous le sachiez par cœur et répétez-le quotidiennement jusqu'à ce qu'il modèle littéralement votre esprit, mettant ainsi en application le principe d'autosuggestion qui développera votre confiance en vous. Gardez-en une copie pour vous remémorer votre engagement. Ne vous préoccupez pas de l'opinion des autres concernant votre façon d'agir et gardez le cap sur votre objectif de réussite.

La deuxième leçon vous a démontré que toute idée fermement fixée dans votre subconscient, par une affirmation répétée, se transforme automatiquement en projet qu'un pouvoir invisible utilise pour diriger vos efforts vers la réalisation de votre objectif. Elle vous a également appris que le principe vous permettant de fixer l'idée de votre choix dans votre esprit se nomme « l'autosuggestion ». C'est ce principe qu'Emerson avait à l'esprit quand il écrivit :

« Nul autre que vous ne peut vous apporter la paix ! »

Vous devriez vous souvenir également que *nul autre que vous ne peut vous apporter le succès*. Bien sûr, vous aurez besoin de la coopération des autres si vous visez un succès d'une portée considérable, mais jamais vous n'obtiendrez cette coopération sans adopter l'attitude positive de la confiance en soi.

Vous êtes-vous déjà demandé pourquoi certains individus sont grassement rémunérés alors que d'autres, occupant les mêmes fonctions, semblent stagner ? Si vous les observiez attentivement, vous découvririez que le plus prospère *croit en lui-même* et appuie cette assurance par une action dynamique et agressive qu'il communique aux autres. Cette confiance en soi est contagieuse, invitante et persuasive : *elle attire les autres*.

L'individu qui ne progresse pas manifeste clairement, par l'expression de son visage, l'attitude de son corps, le manque de vivacité de son allure, l'incertitude avec laquelle il parle, qu'il manque de confiance en lui et, par conséquent, nul ne lui prêtera beaucoup d'attention. Il en est ainsi parce que son esprit agit comme une force négative qui repousse au lieu d'attirer.

La confiance en soi, ou son absence, n'a pas de champ d'action plus important que celui de la vente. Nul besoin d'être un fin psychologue pour déceler cette caractéristique chez un vendeur : elle se remarque à première vue. S'il la possède, les signes de sa maîtrise se lisent sur son corps : il vous inspire confiance en lui ainsi que dans les produits qu'il vous propose.

Vous êtes maintenant arrivé au point où vous êtes prêt à utiliser le principe de l'autosuggestion pour devenir une personne positive, dynamique et confiante. Les instructions sont de copier la formule qui suit, de la signer et de la mémoriser.

FORMULE DE CONFIANCE EN SOI

1. Je sais que je suis capable de réaliser mon *objectif déterminé.* J'exige de moi une action persévérante, dynamique et continue dans le but de l'atteindre.

2. Je réalise que les pensées dominantes de mon esprit se reproduisent éventuellement dans une action corporelle extérieure et, graduellement, se transforment en une réalité physique. Je concentrerai donc mon esprit au quotidien, pendant trente minutes, sur l'idée de la personne que je veux devenir, en créant une image mentale, puis en la transformant en réalité.

3. Je sais que, par le principe de l'autosuggestion, tout désir maintenu avec persévérance dans mon esprit cherchera à s'exprimer à travers un moyen pratique de réalisation. Je consacrerai donc dix minutes par jour à développer les éléments identifiés dans les leçons de ce cours sur les lois du succès.

4. J'ai clairement planifié et écrit une description de mon but déterminé dans la vie, pour les cinq prochaines années. J'ai fixé un salaire pour les services que j'offrirai durant chacune de ces cinq années, un montant que je *mérite* et que je compte *recevoir,* au nom de la stricte application du principe d'un service rendu, efficace et satisfaisant.

5. Je suis pleinement conscient que nulle richesse ni position ne peuvent perdurer à moins d'être construites sur la vérité et la justice. Je *ne m'engagerai donc dans aucune transaction qui ne bénéficierait à tous ceux qui y participent.* Je réussirai en attirant à moi les forces que je veux utiliser. J'inciterai les autres à me servir

La confiance en soi — 181

parce que je les servirai d'abord. J'éliminerai la haine, l'envie, la jalousie, l'égocentrisme et le cynisme en développant l'amour autour de moi, parce que je sais qu'une attitude négative envers les autres ne pourra jamais mener au succès. Je ferai en sorte que les autres *croient en moi* parce que je croirai en eux et en moi-même.

Je signe cette formule et m'engage à la mémoriser et à la répéter à voix haute une fois par jour, avec la foi totale qu'elle influencera graduellement toute ma vie pour que je devienne une personne heureuse qui connaîtra le succès dans le champ d'action choisi.

Signé ....

Avant de signer cette formule, assurez-vous de vouloir en suivre les instructions. Il y réside une loi que personne ne peut expliquer. Les psychologues la nomment « la loi de l'autosuggestion » sans élaborer davantage. Ce qui est sûr, c'est qu'elle *fonctionne réellement*!

Cependant, soyez avisé de ceci : tout comme l'électricité fait tourner les rouages de l'industrie, sert l'humanité ou électrocute quelqu'un si son utilisation s'avère inadéquate, le principe de l'autosuggestion peut mener à la paix et à la prospérité, ou à la misère et à la pauvreté, selon l'application que vous en ferez. Si vous alourdissez votre esprit de doute et de méfiance en accomplissant quelque chose, le principe d'autosuggestion capte ce doute, le fixe dans votre subconscient comme une pensée dominante et vous attire, lentement mais sûrement, dans le tourbillon de *l'échec*.

Par contre, si vous remplissez votre esprit d'une grande confiance en vous, le principe d'autosuggestion assimilera cette croyance et en fera votre pensée dominante, celle qui vous aidera à maîtriser les obstacles encombrant votre chemin, jusqu'à ce que vous atteigniez le sommet du *succès*.

LA PUISSANCE DE L'HABITUDE

Ayant personnellement expérimenté toutes les difficultés reliées à l'incompréhension concernant les façons d'appliquer le principe d'autosuggestion, laissez-moi vous montrer un raccourci : il s'agit de « l'habitude », notion grâce à laquelle vous pourrez employer l'autosuggestion, quel que soit l'objectif à atteindre.

L'habitude naît de l'environnement où nous nous trouvons. Elle consiste *à répéter* les mêmes activités, les mêmes pensées ou les mêmes paroles, encore et toujours. Elle peut être comparée au sillon d'un disque, l'esprit humain étant l'aiguille qui le parcourt. Quand une habitude est bien ancrée par la répétition de pensées ou d'actions, l'esprit a tendance à s'y attacher et à en suivre le parcours d'aussi près que l'aiguille suit le sillon du disque.

L'habitude se crée en dirigeant *de façon répétitive* un ou plusieurs des cinq sens dans une direction donnée. C'est par ce principe de répétition que se crée l'accoutumance aux drogues et à l'alcool. Une fois celle-ci bien établie, elle contrôlera automatiquement l'activité corporelle. Il s'agit donc d'y insérer une pensée qui pourra devenir un puissant moteur du développement de la *confiance en soi*. Cette pensée, la voici : ***Délibérément, et au besoin par la force, dirigez vos efforts et vos pensées dans la direction choisie jusqu'à ce que l'habitude s'empare de vous en dirigeant spontanément vos efforts dans la même direction.***

L'effet recherché, en écrivant et répétant cette formule de la confiance en soi, c'est que l'habitude de *croire en vous* devienne la pensée dominante de votre esprit, jusqu'à ce qu'elle s'implante définitivement dans votre subconscient par l'*habitude.*

Vous avez appris à écrire en dirigeant convenablement les muscles de votre bras et de votre main selon certains dessins appelés « lettres », jusqu'à ce qu'enfin vous ayez l'habitude de les tracer. Maintenant, vous écrivez spontanément, car la calligraphie est devenue une *habitude.*

Le principe de l'habitude opérera de la même manière en ce qui concerne les facultés de votre esprit. Vous pourriez d'ailleurs l'expérimenter aisément en appliquant cette leçon sur la confiance en soi. Toute déclaration répétée, tout désir implanté dans votre esprit par des répétitions chercheront à s'exprimer matériellement à travers vos efforts corporels. Le principe de l'habitude est le véritable fondement de cette leçon sur la confiance en soi. Si vous saisissez et suivez les conseils avisés de cette leçon concernant la loi de l'habitude, vous serez gagnant!

Vous concevez à peine toutes les possibilités qui sommeillent en vous, n'attendant qu'une vision plus éclairée pour vous tirer de votre léthargie. Rien de tel ne se produira à moins de développer assez de confiance en vous pour vous élever au-dessus des influences banales de votre milieu actuel.

L'esprit humain est une machine merveilleuse et complexe, que la relecture de textes écrits par Emerson, traitant des lois spirituelles, me confirma. Malgré les nombreuses lectures que j'en avais faites, je compris des notions que je n'avais pas saisies les fois précédentes où j'avais lu ces écrits, car l'ouverture de mon esprit depuis ma dernière lecture me préparait à mieux l'interpréter.

L'esprit humain est en constant développement, tout comme les fleurs dont l'éclosion se fait graduellement. Mais jusqu'où peut aller cette ouverture? Le degré de développement semble varier selon chaque individu et le degré d'activité de son esprit. Un esprit incité ou contraint à la pensée analytique à chaque jour semble plus enclin à se développer et à acquérir une plus grande puissance d'interprétation.

Monsieur Lee Cook, un millionnaire du Kentucky, devait se déplacer en fauteuil roulant, car il était né sans jambes, ce qui ne l'a pas empêché de développer une grande industrie. Ses efforts sont la preuve qu'un homme peut très bien réussir si sa confiance en lui est très développée.

Parallèlement à cette histoire, un jeune new-yorkais, robuste mais sans jambes, quêtait en fauteuil roulant sur la Cinquième Avenue, tous les après-midi, le chapeau tendu. Son esprit était sans doute aussi apte à réfléchir que la moyenne des gens normaux. Il aurait pu réaliser tout ce que monsieur Cook avait fait, *si seulement il s'était considéré comme monsieur Cook se considérait!*

Henry Ford, détenteur d'une fortune colossale, travaillait autrefois dans un atelier : il avait peu d'éducation et aucun capital. Des dizaines d'hommes, au cerveau mieux organisé que le sien, travaillaient à ses côtés. Ford élimina la conscience de sa pauvreté, développa sa confiance en lui, désira le succès et l'atteignit. Ceux qui travaillaient autour de lui auraient pu faire aussi bien s'ils avaient *pensé* comme lui.

Milo C. Jones, du Wisconsin, fut frappé de paralysie, le laissant totalement incapable de bouger le moindre muscle. Mais dans sa tête, tout allait bien. Étendu sur le dos, il se fixa un *but clairement défini*, pour la première fois de sa vie : faire de la saucisse de porc. Réunissant sa famille autour de lui, il leur expliqua son plan et les dirigea pour le mettre à exécution. Grâce à son esprit sain et beaucoup de *confiance en lui,* Milo C. Jones répandit le nom et la réputation de la *Little Pig Sausage* à travers le pays et accumula une immense fortune. Tout cela après une paralysie l'ayant rendu incapable de travailler manuellement. Là où la *pensée* prévaut, la *puissance* fait son nid!

> # Un foyer est un bien qui ne peut s'acheter.
> ## Vous pouvez acheter une maison,
> ## mais seul votre couple
> ## peut en faire un foyer.

COMMENTAIRE

Plusieurs autres exemples modernes peuvent être cités. Il existe une maladie puissante qui s'appelle la sclérose amyotrophique latérale qui est également connue comme la maladie Lou Gehrig. Elle affecte les nerfs qui contrôlent les muscles, les atrophiant, causant la paralysie et habituellement, la mort en quelques années. Cette condition afflige le physicien reconnu, Dr. Stephen Hawking, depuis plus de deux décennies. Le corps du médecin est sévèrement limité, mais ce n'est pas le cas de son esprit. Il a dominé son esprit et l'a amené dans des domaines incroyables où il explore les secrets de l'Univers, étudie les trous noirs, la physique quantum et même la nature réelle du temps. L'esprit du Dr. Hawking s'est développé à un niveau auparavant inimaginable, car il a pris l'habitude de le développer.

Il aurait pu sembler que dès sa naissance Peter Leonard n'a pas été choyé par la vie. Il avait des incapacités qui rendaient la lecture et l'écriture très difficiles. Avant d'avoir atteint la quarantaine, il était divorcé et sans emploi. Mais il a conçu une idée qui lui a permis de dominer son esprit. Il voulait servir à la législature du New Hampshire. Il a perdu sa première campagne, et également la seconde. D'autres que lui auraient lancé la serviette, mais Peter Leonard s'est regardé et a réalisé que ses meilleures chances résidaient en ses propres efforts, en dépit du fait qu'il n'avait pas d'expérience et très peu d'argent. Alors, au cours de la campagne suivante, il a fait du porte à porte dans sa circonscription. Il a rencontré le plus de gens possibles, a marché dans des parades et a assisté aux rencontres communautaires. Il n'a dépensé que 12$ sur des affiches et 36$ sur des frais d'enregistrement. Ce fut le total de ses dépenses. Et Peter Leonard a été élu! Son parcours était inhabituel et il a remporté la victoire en pratiquant l'habitude de travailler exclusivement sur son but d'être élu.

Henry Ford accumula des millions parce qu'il *croyait en Henry Ford* et qu'il transforma cette croyance en un but précis qu'il appuya d'un plan clairement défini. Ses compagnons de travail se contentaient de leur salaire hebdomadaire et ils n'obtinrent jamais davantage. Ils n'exigèrent d'eux-mêmes que ce qui était habituel. Si vous voulez *obtenir plus, assurez-vous d'exiger davantage de vous-même, non des autres!*

Il me vient à l'esprit un poème qui exprime une grande vérité psychologique:

Si vous croyez être battu, vous le serez;
Si vous croyez être hésitant, vous n'oserez pas;
Si vous aimez gagner, mais que vous n'y croyez pas,
Il est à peu près sûr que vous ne gagnerez pas;
Si vous croyez perdre, vous perdrez;
Le succès commence avec la volonté,
car tout est dans votre état d'esprit.
Si vous croyez être surclassé, vous le serez;
Vous devez penser grand pour vous élever.

Vous devez être sûr de vous avant de vous mériter un prix.
Les combats de la vie ne vont pas toujours
À l'homme le plus fort ou le plus rapide;
Mais tôt ou tard, le vainqueur
Est celui qui croit pouvoir l'être.

Cela ne peut vous nuire de mémoriser ce poème et de l'utiliser comme outil de travail pour développer votre confiance en vous.

Il se trouve sûrement un « petit quelque chose » en vous qui, s'il était éveillé par une influence extérieure adéquate, vous transporterait vers des sommets de réussite que vous n'avez encore jamais imaginés. Tout comme un virtuose peut tirer de son violon les accords les plus enchanteurs, une certaine influence extérieure peut également s'emparer de votre esprit pour vous faire jouer la glorieuse symphonie du succès. Personne ne connaît les forces cachées qui sommeillent en vous. Vous-même ignorez votre puissance de réussite tant que vous n'aurez pas été en contact avec cette impulsion particulière qui vous stimule à agir avec un sentiment d'accomplissement plus profond.

Il est fort probable qu'un mot, une idée ou une phrase de ce livre vous inspire et vous serve de tremplin pour remodeler votre destinée et réorienter vos pensées et votre énergie vers votre objectif de vie. Les tournants les plus importants de la vie arrivent souvent de la façon et au moment les plus inattendus.

J'ai à l'esprit un exemple d'une expérience apparemment anodine qui s'avéra être d'une grande importance. Il illustre bien ce qu'un individu peut accomplir quand il s'éveille à une pleine compréhension de la valeur de la confiance en soi.

L'incident auquel je réfère se produisit à Chicago alors que je travaillais comme psycholoque. Un clochard se présenta à mon bureau pour une consultation. « Je suis venu voir l'homme qui a écrit ce petit livre », me dit-il en tirant de sa poche le livre intitulé *Self-Confidence* (La confiance en soi), que j'avais écrit quelques années auparavant. « Ce doit être la main du destin qui a mis ce livre dans ma poche hier après-midi, pousuivit-il, car j'étais prêt à aller me jeter dans le lac Michigan. J'en étais arrivé à la conclusion que tous et chacun, y compris Dieu, m'en voulaient, jusqu'à ce que je lise ce livre, qui m'a fait découvrir un nouveau point de vue et m'a donné le courage et l'espoir qui m'ont soutenu toute la nuit. J'ai décidé que si je pouvais rencontrer l'auteur de ce livre, il pourrait sans doute m'aider à me remettre sur pied. Maintenant, me voilà: j'aimerais savoir ce que vous pouvez faire pour un homme comme moi. »

Pendant qu'il me parlait, je l'observais attentivement, persuadé, dans mon for intérieur, de ne pouvoir faire quoi que ce soit pour lui : son regard terne, l'attitude prostrée de son corps, sa barbe hirsute, ses gestes nerveux, tout m'amenait à cette conclusion que je n'osais lui partager. Je l'invitai donc à s'asseoir et à me raconter son histoire, avec franchise, ce qui l'avait conduit à mener cette vie misérable. Je lui promis de lui dire, par la suite, si je serais en mesure de l'aider ou non.

En substance, sa vie se résumait ainsi: il avait investi toute sa fortune dans une petite manufacture qui fit faillite lors de la guerre, en 1914, car il devint impossible de se procurer les matières premières nécessaires à la marche de son entreprise. Cette perte le perturba au point de quitter femme et enfants et de songer à mettre fin à ses jours. C'est ainsi qu'il devint itinérant.

Quand il eut fini son histoire, je lui dis: « Je vous ai écouté avec beaucoup d'intérêt; je voudrais pouvoir faire quelque chose pour vous aider. Malheureusement, je ne peux rien pour vous. »

Il blêmit, se renfonça dans son siège et baissa la tête d'un air résigné. J'attendis quelques secondes, puis repris:

« Il n'y a rien que je puisse faire pour vous, mais il y a un homme dans cet édifice auquel je veux vous présenter, si vous le voulez bien, et qui peut, lui, vous aider à retrouver votre fortune perdue et vous redonner votre dignité. » Je n'avais pas sitôt terminé ma phrase qu'il se leva d'un bond, prit mes mains dans les siennes en me suppliant: « Pour l'amour de Dieu, menez-moi à cet homme! »

Son expression « pour l'amour de Dieu » indiquait qu'il brillait encore une étincelle d'espoir en lui. Je le pris par le bras et le conduisis au laboratoire où je faisais mes tests psychologiques. Je le plaçai devant un rideau qui semblait encadrer une porte et l'écartai, découvrant un grand miroir dans lequel il pouvait se voir de la tête aux pieds. Pointant le miroir, je lui dis:

« Voici l'homme que j'ai promis de vous présenter. C'est le seul homme au monde qui puisse vous remettre sur pied! À moins de vous asseoir pour faire vraiment connaissance avec lui, vous ne recevrez aucune autre aide et vous pourrez retourner faire un plongeon dans le lac Michigan. Vous serez sans valeur pour vous-même et les autres tant que vous ne connaîtrez pas mieux cet homme. »

Il s'avança vers le miroir, frotta sa barbe, s'étudia de pied en cap pendant quelques instants, recula, pencha la tête et se mit à pleurer. Je savais que la leçon avait porté fruit. Je le reconduisis à l'ascenseur et le laissai partir, sans grand espoir de le revoir : je doutais que cette leçon soit suffisante pour l'aider à retrouver sa place dans le monde, car son état de déchéance semblait trop avancé.

Quelques jours plus tard, je le croisai sur la rue. Sa transformation était si radicale que j'eus du mal à le reconnaître : son pas était vif, sa tête redressée, ses vêtements neufs et l'attitude assurée de son corps. Il m'arrêta pour me relater ce qui avait provoqué cette métamorphose qui l'avait propulsé de l'échec à l'espoir rempli de promesses :

« Je me rendais justement chez vous pour vous annoncer la bonne nouvelle. Le jour où je suis sorti de votre bureau, moi, l'itinérant, en dépit de ma piètre apparence, je me suis vendu pour un salaire annuel de trois mille dollars! Mon employeur m'a avancé suffisamment d'argent pour acheter de nouveaux vêtements, comme vous pouvez le constater et en envoyer un peu à ma famille. Me voilà donc reparti sur la route du succès, un véritable rêve quand je pense qu'il y a à peine quelques jours, j'avais perdu l'espoir, la foi et le courage et pensais vraiment à me suicider.

« Un de ces jours, quand vous vous y attendrez le moins, je vous rendrai une autre visite pour vous annoncer ma réussite. Je vous apporterai un chèque en blanc à votre nom et vous en déterminerez le montant parce que vous m'avez sauvé de *moi-même* en me présentant à *moi-même* - cet être que je n'avais jamais connu avant que vous me mettiez devant ce miroir et me montriez mon *véritable* moi. »

Comme il faisait demi-tour et repartait dans les rues achalandées de Chicago, je constatai, pour la première fois de ma vie, la force, la puissance et les possibilités cachées dans l'esprit de l'homme qui n'a jamais découvert la valeur de la *confiance en soi*. C'est à ce moment que je pris également la décision de faire face à ce miroir et de pointer vers moi un doigt accusateur pour ne pas avoir compris la leçon que j'avais enseignée à un autre. Je me tins donc debout devant mon reflet et je fixai dans mon esprit, comme *objectif spécifique* dans ma vie, la détermination d'aider les autres à découvrir les forces qui sommeillent en eux. Le présent livre est la preuve que j'ai atteint ce but.

L'homme dont je viens de raconter l'histoire est aujourd'hui le président d'une des plus vastes et des plus prospères entreprises dont les clients se trouvent de l'Atlantique au Pacifique et du Canada au Mexique.

Peu après cet incident, une enseignante d'une école publique de Chicago vint me voir pour une consultation. Après lui avoir remis le questionnaire habituel, elle me le redonna, incomplet, quelques minutes plus tard, me disant qu'elle ne le terminerait pas : « Pour être tout à fait franche avec vous, une des questions m'a fait réfléchir, et je sais maintenant ce qui ne va pas chez moi. Il n'est donc plus nécessaire de vous payer pour une analyse. »

Je n'entendis plus parler d'elle pendant deux ans. Elle travaillait à New York comme rédactrice de publicité pour l'une des plus grandes agences du pays et gagnait un très bon salaire. Elle me fit parvenir un chèque pour s'acquitter de sa dette envers moi, même si elle jugeait que je n'avais pas accompli le travail habituel. Ce cas illustre bien à quel point un incident apparemment sans importance peut mener à un tournant professionnel décisif. Cependant, ces « tournants » peuvent être repérés plus facilement par les gens qui ont développé une confiance totale en eux.

Le seul homme qui ne se trompe jamais est celui qui ne fait jamais rien. N'ayez pas peur des erreurs, pourvu que vous ne fassiez pas deux fois la même.
- Roosevelt

Une des lacunes considérables de l'espèce humaine fut d'ignorer l'existence d'une méthode bien précise par laquelle la confiance en soi pouvait être développée chez toute personne d'intelligence normale.

Quelle énorme perte jusqu'à ce jour, que cela n'ait pas été enseigné aux jeunes pour accroître leur confiance en eux.

Celui qui manque de foi en lui-même n'est pas vraiment éduqué au sens propre du terme. Quel glorieux héritage ce serait si nous pouvions repousser le voile de la *peur* qui exclut la lumière de la compréhension apportée par la confiance en soi! Là où la *peur* commande, toute réalisation notoire devient impossible. Comme le formula un grand philosophe: « *La peur est le donjon de l'esprit vers lequel il court et se dissimule pour chercher la solitude. La peur engendre la superstition qui représente le poignard avec lequel l'hypocrisie assassine l'âme.* »

Devant ma table de travail où je rédige le contenu de ces leçons, est inscrite la pensée suivante, en grosses lettres:

Jour après jour,
de toutes les façons,
je remporte de plus grands succès.

Lisant ce message, un sceptique me demanda un jour si je croyais vraiment à « ces histoires ». Je lui répondis: « Bien sûr que non! Tout ce que cette affirmation a eu comme effet pour moi, c'est de me tirer des mines de charbon où je travaillais pour m'inciter à œuvrer, là où je sers plus de cent mille personnes, dans l'esprit de qui j'implante la même pensée positive qui est écrite là! Alors, pourquoi faudrait-il que j'y croie? » Comme il s'apprêtait à partir, il me dit, songeur: « Eh bien, peut-être qu'il y a du vrai dans ce genre de philosophie, après tout! J'ai toujours eu peur de vivre des échecs et, jusqu'à présent, ces craintes se sont avérées parfaitement fondées! »

Vous vous condamnez à la pauvreté, à la misère et à l'échec, ou vous vous propulsez vers les sommets de grandes réalisations, uniquement par vos pensées.

Si *vous exigez* de vous-même le succès et si vous appuyez cette exigence par une action intelligente, vous êtes assuré de la victoire! Mais n'oubliez pas qu'il y a une différence entre réclamer le succès et simplement le souhaiter.

Attelez-vous à développer votre confiance personnelle en y mettant toute votre foi, sans vous préoccuper de ce que les autres diront. Ce ne sont pas eux qui vous aideront dans votre ascension vers l'objectif *spécifique que vous vous êtes fixé.* Vous détenez le pouvoir requis pour obtenir tout ce que vous voulez ou ce dont vous avez besoin. La meilleure façon de vous prévaloir de cette puissance est de croire en vous-même.

« **Connais-toi toi-même.** » Voilà le conseil intemporel et universel de tous les philosophes. Quand vous vous connaissez *vraiment,* vous savez qu'il n'y a rien d'insolite ni de ridicule à accrocher devant vous le message suivant:

Jour après jour, de toutes les façons, je remporte de plus grands succès. Je ne crains ni d'afficher ce genre de suggestion devant mon bureau ni de croire qu'elle m'influencera pour devenir un être humain plus positif et plus combatif.

Voilà plus de vingt-cinq ans, je reçus ma première leçon qui me servit de base pour édifier ma confiance en moi. Écoutant la conversation de deux personnes âgées qui échangeaient sur les salaires et le travail, je me joignis à elles pour émettre quelques commentaires sur la façon dont employeurs et employés pourraient régler leurs différends en se basant sur la Règle d'Or.

L'une d'elles se tourna vers moi, l'air surpris, et me dit: « Eh bien, vous êtes un garçon intelligent! Si vous étiez instruit, vous pourriez faire votre chemin dans la vie. »

Sa remarque ne tomba pas dans l'oreille d'un sourd. C'était la première fois qu'on me disait que j'étais intelligent et que je pourrais réaliser quelque chose de valable dans la vie. Cela me fit réfléchir et découvrir que cette remarque reflétait une possibilité de mon potentiel que je n'avais jamais perçue jusque là. Je peux même affirmer aujourd'hui que tous les services et le bien que j'ai prodigués et continue d'offrir autour de moi sont le résultat direct de cet échange lointain.

De telles prises de conscience sont souvent plus puissantes et efficaces quand elles sont provoquées par une source extérieure exempte d'intérêt et de jugement. Retournez maintenant à la formule de la confiance en soi et appliquez-la, car elle vous conduira à l'« usine génératrice » de votre esprit qui vous transmettra la force nécessaire pour vous guider jusqu'au sommet du succès.

> **Amour, beauté, joie et vénération édifient une base solide, pour toujours, déchirant et rétablissant le fondement de chaque âme humaine.**

Votre entourage n'aura foi en vous que lorsque vous croirez en vous. Il sera réceptif et vous témoignera son estime que lorsque vous vous estimerez. C'est ainsi que la loi de la télépathie mentale agit : vous émettez des ondes continues sur votre estime personnelle dont les vibrations sont captées par autrui. Si vous n'avez pas foi en vous, les autres recevront ce message et l'interprèteront de la même manière. Une fois que vous aurez intégré cette loi de la télépathie mentale, vous saurez pourquoi la confiance en soi est la troisième des *dix-sept lois du succès*.

Une mise en garde est cependant nécessaire pour éviter de confondre la confiance en soi, qui est basée sur une connaissance précise de ce que vous savez et de ce que vous pouvez faire, et l'égocentrisme, qui est fondé essentiellement sur ce que vous *voudriez* savoir ou réaliser. Si vous ne saisissez pas la différence entre ces deux notions, vous perdrez toute crédibilité aux yeux des gens cultivés et intelligents.

Vous ne devriez jamais vanter votre propre confiance en vous, mais plutôt laisser les autres la percevoir par l'accomplissement intelligent d'actions constructives. Cela vous évitera d'être taxé d'égocentrique, car ce genre de personnes éloigne les opportunités, n'attirant que critiques et remarques acerbes. Gardez donc présent à l'esprit que votre confiance ne devrait s'exprimer que par des services constructifs rendus sans tambour ni trompette.

La confiance en soi est le produit de la connaissance de soi. Connaissez-vous vous-même, découvrez la profondeur de vos connaissances (ou le peu), la raison pour laquelle vous les détenez et la façon dont vous les emploierez. Les « bluffeurs » finissent mal : ne prétendez donc pas en savoir plus que ça ne l'est en réalité. La prétention est bien inutile, car toute personne éduquée vous évaluera efficacement après quelques minutes en votre présence. Ce que vous êtes vraiment parle si fort que ce que vous *prétendez* être n'est pas entendu.

Si vous considérez cet avertissement avec sérieux, les quatre dernières pages de cette leçon peuvent marquer l'un des tournants les plus importants de votre vie. Croyez en vous, mais ne vous vantez pas de ce que vous pouvez faire : DÉMONTREZ-LE!

Vous êtes maintenant prêt pour la quatrième leçon qui vous fera gravir le prochain échelon de l'échelle du succès.

LE MÉCONTENTEMENT
Une visite avec l'auteur

Le marqueur est posté à la porte d'entrée de la Vie.
Il écrit sur le font du sage : « Pauvre fou! »
et sur le front du saint : « Pauvre pécheur! »

L'ultime mystère de l'univers, c'est la vie! Nous arrivons et repartons sans avoir donné notre consentement, sans savoir d'où nous venons ni où nous allons! Nous essayons en vain de résoudre le grand mystère de la VIE, son fonctionnement et sa finalité.

Plusieurs penseurs et chercheurs croient que nous sommes sur cette planète pour une raison précise. Se pourrait-il que la puissance qui nous a créés ne sache quoi faire de nous quand nous passerons de l'autre côté de la Grande Séparation?

Ne serait-ce pas une bonne philosophie que de donner au Créateur le crédit d'une intelligence suffisante pour savoir ce qu'il adviendra de nous à notre mort? Devrions-nous avoir l'intelligence et la capacité de contrôler cette vie future à notre manière? Est-il possible de coopérer intelligemment avec notre Créateur, contrôlant notre conduite ici-bas en étant honnêtes avec autrui et en faisant tout le bien possible durant notre court séjour? Est-ce possible d'abandonner notre avenir à Celui qui sait probablement, bien mieux que nous-mêmes, ce qui nous convient?

De la naissance à la mort, l'esprit est toujours à la recherche de ce qu'il ne possède pas.

L'enfant qui s'amuse délaisse aussitôt son jouet pour réclamer celui de son compagnon. La fillette qui sommeille en nous trouve que les vêtements d'une autre sont plus jolis et désire les mêmes. Le bambin qui s'amuse sur le plancher avec ses jouets voit un autre enfant avec un jouet différent et, immédiatement, essaie d'en prendre possession. Les adultes continuent de pourchasser des jouets plus performants et plus gros; plus il y en a, mieux c'est.

F. W. Woolworth, le roi du 5-10-15, levant les yeux sur le très haut édifice *Metropolitan*, situé sur la Cinquième Avenue, à New York, s'exclama: « Merveilleux! J'en construirai un, beaucoup plus haut! » Le couronnement de sa vie s'illustra par l'édifice Woolworth, symbole temporel de la nature humaine qui incite un individu à dépasser l'oeuvre d'autres hommes. c'est un monument à la vanité humaine, rien d'autre qui puisse justifier son existence!

Le petit vendeur enguenillé de journaux regarde avec envie l'homme d'affaires qui descend de son auto luxueuse pour se rendre à son bureau : « Comme je serais heureux de posséder une telle voiture! » L'homme d'affaires assis derrière son bureau pense à quel point il serait heureux d'ajouter un autre million à son compte d'épargne déjà bien rempli. *L'herbe est toujours plus verte de l'autre côté de la clôture*, se plaint l'âne, en s'étirant le cou pour essayer de l'atteindre.

Lâchez un groupe de garçons dans un verger et ils ne regarderont pas les pommes bien mûres qui jonchent le sol. Les pommes rouges, juteuses, accrochées à une haute branche sont bien plus tentantes!

L'homme marié jette parfois un coup d'oeil envieux aux femmes attirantes en pensant qu'il serait plus heureux si sa conjointe leur ressemblait. Peut-être l'est-elle tout autant, mais qu'il n'en voit plus la beauté. La plupart des séparations viennent de la tentation de l'un des conjoints d'escalader la clôture pour aller dans le champ du voisin.

Le bonheur est toujours au détour, toujours en vue, mais juste hors de portée.

L'être humain trouve toujours sa vie incomplète, peu importe ce qu'il possède, une acquisition en appelant une autre pour accroître ses biens.

Madame s'achète un joli vêtement et tous les accessoires pour le compléter, ce qui totalise souvent une somme supérieure à ses moyens. Monsieur souhaite une maison à l'orée d'un bois, mais ce n'est pas suffisant, il lui faut un aménagement paysager, une clôture de qualité et une belle entrée de garage avec une voiture correspondant aux mêmes critères!

Tous ces ajouts n'ont cependant pas comblé le vide ressenti intérieurement. L'endroit devient vite trop petit, il lui faut une maison plus spacieuse, une auto plus luxueuse et ainsi de suite, à l'infini!

———————————

Si vous recevez un salaire suffisant pour les besoins de votre famille et qu'arrive inopinément une promotion, accompagnée d'une augmentation de salaire, placerez-vous cet argent supplémentaire à la banque en maintenant le même rythme de vie qu'avant?

Vous préférerez sans doute changer votre voiture, rénover votre maison, ajouter des vêtements à votre garde-robe et vous offrir de bons restaurants.

Vous sentirez-vous mieux ainsi? J'en doute!

Plus nous possédons de biens, plus nous voulons en acquérir : cette règle s'applique aussi bien au millionnaire qu'à l'individu moyen.

———————————

Quand vous êtes en amour, vous croyez qu'il vous est impossible de vivre sans cette personne. Quand vient le temps de l'engagement, vous ressentez des doutes sur vos sentiments. Si vous êtes célibataire, vous trouvez insensé de vous priver des joies de la vie à deux. Si vous vous mariez, vous croyez parfois avoir été berné sur la véritable nature de l'autre.

À chaque carrefour de la vie, tapi dans l'ombre, à l'arrière-plan, un sourire moqueur aux lèvres, le dieu de la destinée hurle: « Ô fou! Tu es damné si tu le *fais* et tu es damné si tu ne le *fais pas*! Prends la route que tu veux, je t'aurai au tournant! »

Suite à ces désillusions, l'homme commence à comprendre que bonheur et contentement ne sont pas de ce monde. Il recherche alors le mot de passe qui lui ouvrira la porte d'un univers dont il ne connaît rien. Il y a sûrement du bonheur de l'autre côté de la Grande Séparation. En désespoir de cause, son cœur, lassé et rongé de soucis, se tourne vers la religion pour y trouver espoir et paix.

Mais ses ennuis ne sont pas terminés : ils ne font que commencer!

« Viens dans notre tente et accepte notre credo, propose une croyance, et tu seras délivré après la mort. » Le pauvre homme hésite, écoute et entend un autre appel dont le célébrant dit: « Quitte l'autre camp ou tu seras damné à jamais! Ils ne font qu'asperger ta tête d'eau, mais nous, nous te soutiendrons le long de la route, t'assurant un passage sans danger vers la Terre promise. »

Ainsi pourrait-on décrire la quête de l'homme vers l'atteinte du bonheur et de la satisfaction. Il explore les différentes croyances religieuses, à l'affût d'une réponse à son interrogation perpétuelle sur l'origine et la finalité de son existence :

L'espoir terrestre dans lequel les hommes mettent tout leur coeur
Devient cendres, ou bien il prospère;
Et bientôt, comme la neige sur la surface poussiéreuse du désert,
Il éclaire une petite heure ou deux, puis disparaît.

La vie est un perpétuel point d'interrogation. Ce que nous désirons le plus se tient toujours à distance, dans l'embryon de l'avenir. Notre pouvoir de se le procurer est toujours une décennie derrière notre pouvoir de le désirer.

Et, si nous rattrapons l'objet de notre désir, nous n'en voulons plus!

Notre auteur favori reste-t-il génial même après que nous ayons appris des informations négatives à son sujet, nous révélant une fois de plus la nature vulnérable et universelle de l'être humain?

Tel qu'Emerson nous le rappelait : « Combien de fois devrons-nous apprendre cette leçon? Pourquoi une personne cesse-t-elle de nous intéresser quand nous découvrons ses limites? L'unique péché est la restriction que nous mettons en toute chose. Dès que vous vous êtes heurté une fois aux limites d'un homme, c'en est fini de lui. »

Comme elle est belle, la montagne, au loin, mais quand nous en approchons, nous découvrons qu'elle n'est rien qu'un amas de roches, de poussière et d'arbres.

C'est de cette vérité qu'est né le dicton : *la familiarité engendre le mépris.*

La beauté, le bonheur et la satisfaction sont des états d'esprit dont nous ne pouvons jouir que par la vision à distance. Le plus grand chef-d'oeuvre de Rembrandt perd ses nuances si nous le regardons de trop près : le recul est nécessaire.

Si vous détruisez l'espoir des rêves inachevés dans le coeur de l'homme, c'en est fini de lui.

Dès le moment où nous cessons de chérir la vision de nos réalisations futures, nous sommes perdus. La nature nous a ainsi pourvus : notre plus grand bonheur, le seul durable, est celui que nous ressentons dans la poursuite d'un rêve non encore atteint. Lorsque cet espoir meure, écrivez FINI sur le cœur.

Notre inconscience collective la plus insensée est que la plupart des vérités que nous acceptons sont fausses. Russell Conwell rédigea le cours le plus populaire sur ce sujet, intitulé *Des hectares de diamants.* L'idée centrale est qu'il n'est pas nécessaire de chercher bien loin l'occasion tant souhaitée, car elle se trouve souvent tout près de nous! Mais combien croient cela?

Pour la plupart des gens, l'herbe semble plus verte de l'autre côté de la clôture, l'occasion rêvée est beaucoup plus tentante à l'autre bout du pays que dans son propre patelin.

Mais, ne vous en faites pas si vous agissez de la sorte : la nature humaine l'a voulu ainsi pour nous préparer à la tâche essentielle de toute une vie: croître par le combat.

QUELQUES « MIRACLES » MODERNES

Certaines personnes doutent de l'authencité de la Bible parce qu'elles pensent que si les miracles se produisaient il y a plus de deux mille ans, avant l'aube de la science, alors que les humains en étaient aux premiers balbutiements de la civilisation, il devrait en être de même aujourd'hui.

J'ai soigneusement lu la Bible, dont certaines parties à plusieurs reprises. À la lumière actuelle de la science, je suis persuadé qu'elle ne contient pas plus de supposés miracles qu'il ne s'en est produits dans les dernières décennies. Qui plus est, ces « miracles » modernes peuvent être soumis à l'œil critique de la science. Tout enfant d'intelligence moyenne de plus de douze ans peut comprendre les « miracles » d'hier, et c'est pourquoi je m'intéresserai ici à ces « révélations » en les observant sous l'angle de la foi.

LE PLUS GRAND DE TOUS LES MIRACLES EST LA FOI

Notre époque est merveilleuse, car c'est celle des miracles dont la preuve peut être démontrée. Voici les miracles modernes qui m'ont le plus impressionné.

D'abord, celui qu'accomplit Edison quand, après plus de dix mille échecs temporaires, il arracha à la nature le secret par lequel la voix humaine pouvait être enregistrée sur un disque et reproduite à la perfection. Ce miracle fut possible grâce à la FOI de Edison, car il ne pouvait compter sur aucun exemple précédent pour le guider. Seule la foi put lui permettre de commencer ses recherches si près de la source du secret qu'il recherchait et seule la foi put lui donner la persévérance de poursuivre ses expériences après autant d'« échecs ».

C'est également la foi qui lui permit de concentrer son esprit sur la tâche qui le conduisit à l'invention de la lampe à incandescence avec laquelle il dompta l'énergie, appelée électricité, qui servit à éclairer le monde.

C'est aussi la foi qui l'incita à continuer ses expériences avec la machine à images mobiles jusqu'à ce qu'il réalise le « miracle » du magnétoscope qu'il devait percevoir dans son imagination avant même de débuter ses recherches.

C'est la foi qui soutint les frères Wright durant leurs années d'expérimentations hasardeuses qui précédèrent la conquête de l'air et la création d'un appareil surpassant en vitesse et en endurance le plus rapide des oiseaux.

> # La seule faveur durable qu'un parent puisse faire à son enfant est de l'aider à s'aider lui-même.

C'est la foi qui poussa Christophe Colomb à mettre les voiles sur une mer inconnue, à la recherche d'un pays qui n'existait encore que dans son imagination. Considérant la précarité des voiliers affrétés pour ses voyages périlleux, sa foi lui permit sûrement de percevoir sa mission accomplie avant même d'avoir levé l'ancre.

C'est la foi qui inspira Copernic à « voir », avec ses instruments rudimentaires, cette portion de l'univers que les yeux humains n'avaient jamais perçue, défiant ainsi les croyances de l'époque. Ses révélations lui attirèrent les foudres de ses contemporains qui croyaient qu'il n'y avait d'autres étoiles que celles visibles à l'oeil nu.

C'est la foi qui permit à Arthur Nash de transformer un échec commercial en un brillant exemple de succès, grâce au simple partage de dividendes avec ses associés, sur la base de la « Règle d'Or » que le Christ avait enseignée voilà deux mille ans. C'est ce même principe qui lui fit accumuler une fortune colossale en plus de laisser un important héritage spirituel basé sur l'exemple qu'il avait donné.

C'est la foi en sa cause de liberté et de paix qui permit au mahatma indien, Gandhi, de rallier les millions de gens de son pays, même si cela provoquerait sa mort. Nulle autre influence que la foi n'aurait pu accomplir ce « miracle ». Grâce à sa foi soutenue, Gandhi exerça son pouvoir sans user de la force physique, démontrant ainsi que la foi peut accomplir davantage que ne le peuvent des soldats entraînés, l'argent et tout l'arsenal de guerre.

C'est la foi qui brisa les entraves de la restriction limitative dans le cerveau du professeur Einstein, lui donnant accès aux principes mathématiques dont le monde ne soupçonnait même pas l'existence. Nul esprit limité par la peur n'aurait pu découvrir un tel « miracle ».

C'est la foi qui soutint notre bien-aimé Washington, le conduisant à la victoire contre des ennemis nettement supérieurs. Une forme de foi née de son amour pour la liberté de l'humanité.

Le principe fondamental de la foi est tout autant à votre portée qu'il le fut pour ceux qui vous précédèrent.

Si votre monde en est un de restrictions, de misère et de besoins, c'est parce que vous n'avez pas pris conscience que votre esprit est équipé d'un laboratoire apte à générer la puissance de la foi.

Si nous pouvons estimer les possibilités futures en nous basant sur les réalisations passées, les « miracles » à venir seront plus nombreux et spectaculaires que ceux qui sont advenus par le passé. Notre destinée ne nous a pas encore été révélée.

Nous vivons actuellement dans une ère de révélations!

Ceux qui croient que la puissance de la révélation s'est éteinte avec la superstition et l'ignorance, qui prévalaient il y a quelques siècles, ont une piètre compréhension de notre histoire moderne.

Des gens comme Edison, les frères Wright, Christophe Colomb, Copernic, Henri Ford, Arthur Nash, Einstein, Grandhi et Washington sont tous des êtres humains ayant accompli des miracles, car ils reculèrent les limites de la pensée et découvrirent de nouveaux horizons. Nous vivons à une époque où les miracles se multiplieront, car c'est une ère de foi.

Nous expérimentons présentement une ère qui exigera plusieurs réajustements sur le plan des relations humaines. Les vrais leaders seront investis d'une grande puissance concernant leur foi. Nulle place pour les faibles et pour ceux qui croient que les « miracles » sont entourés d'un mystère insondable ou appartiennent à un passé révolu.

Les miracles de l'avenir seront révélés par la science.

LEÇON 4

L'HABITUDE DE L'ÉPARGNE

Conseiller à quelqu'un d'économiser de l'argent sans lui décrire la façon d'épargner serait un peu comme dessiner un cheval et écrire en-dessous: *Ceci est un cheval*. Il est évident d'affirmer que l'épargne est essentielle au succès, mais la première grande question dans l'esprit des gens qui n'épargnent pas est: *Comment fait-on?*

L'épargne n'est qu'une question *d'habitude. C'est* pourquoi cette leçon commence par une brève analyse de la loi de l'habitude, car c'est elle qui moule la personnalité d'un individu.

Toute action répétée un certain nombre de fois devient une habitude et l'esprit semble n'être rien de plus qu'une multitude de forces motivatrices, naissant de nos habitudes quotidiennes.

Une fois fixée dans l'esprit, une habitude incite à une action programmée. Si vous prenez toujours le même chemin pour vous rendre à votre travail, l'habitude sera enregistrée et votre esprit vous guidera sans que vous y pensiez. Qui plus est, si vous vous dirigez ailleurs, sans garder à l'esprit ce changement de direction, vous vous retrouverez à suivre la route habituelle.

Les conférenciers expérimentent souvent cette loi de l'habitude. À force de raconter une histoire, ils oublient s'il s'agit d'une fiction ou d'une histoire vraie.

NOS LIMITES SE CONSTRUISENT PAR L'HABITUDE

Des millions de gens vivent dans la pauvreté et le besoin pour avoir fait un usage destructeur de la loi de l'habitude, soit parce qu'ils ne la comprenaient pas ou qu'ils n'avaient pas saisi la loi de l'attirance par laquelle « qui se ressemble s'assemble ». Ils se rendent rarement compte que ce qu'ils sont est le résultat de leurs propres actions.

Si vous convainquez votre propre esprit que votre travail mérite un salaire limité, vous ne gagnerez jamais un sou de plus : la loi de l'habitude mettra une limite définie à votre salaire. Votre subconscient acceptera cette limitation et vous glisserez rapidement vers la *peur de la pauvreté,* l'une des six peurs fondamentales, de telle sorte que l'opportunité ne frappera plus jamais à votre porte. Votre destin sera fixé.

L'habitude de l'épargne ne signifie pas la limitation de votre capacité à gagner de l'argent, mais bien au contraire, vous appliquerez cette loi pour économiser de façon systématique. Cette habitude favorisera un éventail plus grand d'opportunités, car elle générera plus de confiance en vous, d'imagination, d'enthousiasme, d'iniative et de leadership, qualités nécessaires pour augmenter votre capacité à gagner de l'argent.

En résumé, lorsque vous comprenez vraiment la loi de l'habitude, vous pouvez vous assurer le succès dans le grand jeu qui consiste à faire de l'argent en étant audacieux.

Il vous faut procéder de cette façon :

Premièrement, par la loi du but principal *clairement défini*, vous fixez dans votre esprit une description précise de ce que vous voulez, y compris le montant d'argent que vous avez l'intention de gagner. Votre subconscient s'empare de cette image que vous avez créée et l'utilise comme plan sur lequel il pourra imprimer vos pensées et vos actions en les transformant en méthodes pratiques pour atteindre votre objectif principal. Par la loi de l'habitude, vous le maintenez dans votre esprit (référez à la deuxième leçon) jusqu'à ce qu'il soit définitivement implanté. Cette pratique détruira en vous la conscience de la pauvreté pour la remplacer par celle de la prospérité. Vous commencerez peu à peu à *EXIGER* la prospérité, à vous préparer à la recevoir et à l'utiliser sagement, pavant ainsi la voie au développement de l'habitude de l'épargne.

Deuxièmement, après avoir augmenté votre puissance à gagner de l'argent, vous ferez un autre usage de la loi de l'habitude en indiquant, dans le compte rendu écrit de votre but principal *clairement défini*, un montant précis réservé à votre épargne.

Par conséquent, quand votre revenu augmentera, vos épargnes augmenteront proportionnellement.

En mettant en pratique ces deux aspects de la loi de l'habitude, vous allègerez rapidement votre esprit de toute limite imaginaire, ce qui vous conduira assurément sur la voie menant à l'indépendance financière.

Rien d'autre pourait être plus pratique, ni plus facilement réalisable que ceci.

Renversez le fonctionnement de la loi de l'habitude en substituant, dans votre esprit, l'épargne par la peur de la pauvreté et elle réduira rapidement votre capacité à gagner de l'argent au point où vous subviendrez à peine à vos besoins essentiels.

En l'espace d'une semaine, les éditeurs de journaux pourraient créer une panique financière en énumérant les faillites de certaines entreprises, même si dans les faits, peu d'entre elles font faillite, quand on les évalue dans leur ensemble. La supposée « vague de crimes » est également le produit d'une presse à sensations. Un seul meurtre, exploité par des journaux alarmistes, suffit à créer une véritable « vague » de crimes similaires dans d'autres villes.

Nous sommes tous victimes de nos habitudes, peu importe qui nous sommes ou la vie que nous menons. Toute idée fixée dans notre esprit, qu'elle soit le résultat de la suggestion, de notre éducation, de l'influence d'associés ou autre, nous fera agir conformément à ce qu'elle véhicule.

Prenez donc l'habitude de penser et de parler en termes de prospérité et d'abondance pour obtenir rapidement les preuves matérielles qui se manifesteront par des opportunités nouvelles et inattendues.

Qui se ressemble s'assemble! Si vous êtes en affaires et que vous avez l'habitude d'y penser et d'en parler en termes négatifs, elles le seront. Si un individu pessimiste exerce son influence destructrice trop longtemps, il pourra anéantir le travail de collègues compétents en faisant dériver leur esprit vers la peur de l'échec qui engendre la pauvreté.

Ne soyez pas ce genre de personne.

L'un des plus grands banquiers de l'Illinois accrocha cette devise au mur de son bureau:

« ICI, ON NE PARLE ET NE PENSE QU'EN TERMES D'ABONDANCE.
SI VOUS AVEZ UN RÉCIT PATHÉTIQUE, S'IL VOUS PLAÎT,
GARDEZ-LE POUR VOUS: NOUS N'EN VOULONS PAS. »

Aucun employeur n'est intéressé par les services d'un individu pessimiste. Ceux qui appliquent les lois de l'attirance et de l'habitude ne toléreront pas davantage la personne pessimiste, pas plus qu'ils ne permettraient à un cambrioleur de rôder autour de leur lieu de travail. Un tel individu anéantit l'efficacité des autres.

Dans des millions de foyers, le principal sujet de conversation est, la pauvreté et les besoins inassouvis et c'est exactement ce qu'ils obtiennent. Ils pensent et parlent en termes de pauvreté et l'acceptent comme leur lot dans l'existence. Leurs ancêtres étaient pauvres, donc ils le seront aussi.

Le sentiment de pauvreté est le résultat obtenu à force de la craindre. « Je vous l'avais bien dit! Ce que je craignais m'est arrivé! »

> ## Vous êtes un aimant humain et vous attirez constamment à vous les gens dont le caractère s'harmonise avec le vôtre.

L'ESCLAVAGE DES DETTES

Les dettes sont un maître sans merci, un ennemi mortel de l'habitude de l'épargne. La pauvreté seule suffit à tuer l'ambition, à détruire la confiance en soi et l'espoir. Ajoutez-y le fardeau des dettes et les victimes de ces deux cruels tyrans sont pratiquement condamnés à l'échec.

Nul ne peut travailler de son mieux, s'exprimer en termes commandant le respect, créer ou accomplir un but déterminé dans la vie, s'il a de lourdes dettes sur le dos. Il est sans défenses tout comme l'esclave enchaîné.

L'épouse mondaine d'un ami dépense presque le double du salaire qu'il gagne. Ses trois enfants ont également acquis cette mauvaise habitude d'achats futiles et leur père ne peut les inscrire au collège à cause des dettes accumulées. Cette situation crée des tensions familiales importantes qui attristent chacun. Il faut donc éviter de se retrouver enchaîné ainsi par l'accumulation de dettes. Cette habitude s'insinue tout doucement, progresse lentement jusqu'à atteindre des proportions dévastatrices dans le cœur des gens.

Plusieurs jeunes débutent leur vie de couple chargés de dettes inutiles dont ils n'arrivent pas à se délester. Après l'euphorie des premières années, le couple commence à ressentir certains besoins matériels qui, faute d'être comblés, mènent bien souvent à l'insatisfaction, voire même à la séparation. L'esclave de ses dettes n'a ni le temps ni le désir de mettre au point un idéal pour y travailler, avec le résultat qu'il finit par limiter son esprit en s'enfermant derrière les barreaux de la prison de la peur et du doute, dont il ne s'évade que rarement.

Nul sacrifice n'est trop grand pour échapper aux misères engendrées par les dettes!

« Pensez à la dignité que vos proches et vous-même méritez et prenez la résolution de n'être le débiteur de personne. » Tel est le conseil d'un ami qui a bien réussi dans la vie malgré des débuts chancelants à cause de ses dettes. Heureusement, il en prit conscience assez tôt et se débarrassa de l'habitude de faire des achats inconsidérés, ce qui l'affranchit de son esclavage.

La majorité des gens qui s'endettent n'auront malheureusement pas la chance de retrouver leur bon sens à temps, car les dettes sont comme du sable mouvant: elles ont tendance à attirer leur victime toujours plus profondément dans la fange.

La peur de la pauvreté est l'une des six peurs élémentaires les plus destructrices qui soient. L'individu désespérément endetté est aspiré par cette peur de la pauvreté, ce qui a pour effet de paralyser son ambition et sa confiance en lui.

Qui vous a dit que c'était impossible?

Et quelle grande réalisation a-t-il

à son crédit qui lui permette d'user

si librement du mot « impossible »?

Il y a deux sortes de dettes, de nature si différente qu'elles méritent d'être décrites:

1. Les dettes encourues pour acquérir des objets luxueux superflus qui constituent une perte sèche.

2. Les dettes encourues dans des transactions professionnelles ou d'affaires, représentant des services ou des marchandises pouvant être reconvertis en actifs.

C'est la première catégorie de dettes que vous devez éviter. Vous pouvez vous permettre la seconde, à condition de vous servir de votre jugement pour ne pas dépasser les limites raisonnables. La personne qui achète au-delà de ses limites entre dans le domaine de la spéculation qui engloutit plus de victimes qu'elle n'en enrichit.

Presque tous les gens vivant au-dessus de leurs moyens sont tentés par la spéculation, dans l'espoir d'acquitter la totalité de leurs dettes d'un seul tour de roue de la fortune, ce qui arrive rarement. Loin d'être libérés de leurs dettes, ils spéculent davantage, ce qui resserre encore plus les maillons de leurs chaînes. La peur de la pauvreté brise la volonté et l'ambition de ses victimes, à cause de leur incapacité à restaurer leur fortune perdue et à se dégager de l'esclavage de leurs dettes.

Les soucis engendrés par les dettes, plus que toute autre raison, sont responsables d'un grand nombre de suicides, ce qui illustre de façon cruelle les ravages que peut causer la peur de la pauvreté.

Durant la guerre, des millions d'hommes sont allés au front, dans les tranchées, sans sourciller, sachant que la mort pouvait les frapper à tout moment. Face à la peur de la pauvreté, ces mêmes hommes reculent souvent, la raison paralysée par le désespoir, se rendant parfois jusqu'au suicide.

La personne exempte de dettes domine sa peur de la pauvreté et peut atteindre un succès financier remarquable, ce qui n'est pas le cas de l'esclave de dettes pour qui une telle réalisation n'est jamais une probabilité.

La peur de la pauvreté constitue un état d'esprit négatif et destructeur qui a tendance à attirer des états d'esprit similaires. Elle peut attirer la peur de la maladie et cette combinaison explosive peut engendrer à son tour la peur de la vieillesse. La victime se retrouve donc frappée par la pauvreté, la maladie et la vieillesse bien avant son temps. Des millions de cercueils se sont ainsi refermés prématurément sur ces victimes de la peur de la pauvreté!

Un jeune homme, responsable d'un département à la *City National Bank de New York,* contracta de lourdes dettes qui lui occasionnèrent des soucis au point que cette habitude destructrice se refléta dans son travail et il fut remercié de ses services.

Il trouva un autre emploi moins rémunérateur, mais ses créanciers le poursuivirent tant, qu'il décida de démissionner et de déménager dans une autre ville, espérant leur échapper le temps d'accumuler suffisamment d'argent pour les rembourser. Mais, les créanciers ayant des méthodes efficaces pour repérer leurs débiteurs, eurent tôt fait de le retrouver et il perdit de nouveau son emploi. Il en chercha vainement un autre pendant deux mois. Par une nuit glaciale, il se jeta du haut d'un gratte-ciel de Broadway. L'endettement avait réclamé une autre victime.

COMMENTAIRE

En lisant les commentaires de Napoleon Hill au sujet de l'endettement et de la pauvreté, les histoires vous sembleront mélodramatiques et il se peut que vous ayez l'impression qu'elles ne concordent pas avec les conditions de vie d'aujourd'hui. Le sens de l'esprit de responsabilité et d'obligation personnelle des gens a changé et les dettes financières n'ont plus la teinte qu'elles avaient à l'époque de M. Hill. Après tout, l'Amérique dont il parle était celle d'avant le crash de 1929 et de la Grande Dépression qui a suivi. C'était avant le marché boursier moderne, les lois antitrust, le FTC (Federal Trade Commission) et la Réserve Fédérale. Bien avant les cartes bancaires et des années-lumière avant le e-commerce et les milliardaires point com.

Les temps ont assurément changé, mais les mœurs sociales changeantes n'ont pas altéré les principes de base du succès. Les histoires que M. Hill raconte peuvent provenir d'une autre époque, mais tel qu'il l'a été mentionné précédemment, la philosophie qu'elles transportent a développé plus de millionnaires que toute autre philosophie. Ces histoires ont inspiré des gens à réussir durant la Grande Dépression et à travers la Deuxième Guerre Mondiale. Elles ont été les références pour plusieurs qui ont créé le boom des années '50 et '60. Ce furent ces mêmes histoires et la philosophie qu'elles transportent qui ont rendu des entrepreneurs parmi les plus fructueux de la génération des baby-boomers. Ceux qui ont cherché au-delà des mots et qui ont appris les leçons qu'elles enseignaient, feront partie des millionnaires du nouveau millénaire.

MAÎTRISER LA PEUR DE LA PAUVRETÉ

Pour vaincre la peur de la pauvreté reliée à l'endettement, il faut poser deux gestes bien définis : perdre d'abord l'habitude d'acheter à crédit puis débiter régulièrement le solde des dettes déjà contractées.

Une fois libre du souci de l'endettement, la personne sera en mesure de restructurer les habitudes de son esprit pour le réorienter vers la prospérité. Une partie du but principal déterminé doit être consacrée à l'habitude d'économiser régulièrement une part du revenu, aussi minime soit-elle. Bien vite, cette habitude imprègnera son esprit au point d'en retirer du plaisir à épargner.

Toute habitude peut être abandonnée si le but est de la remplacer par une autre, plus favorable à l'atteinte de la réussite. Pour en arriver à l'indépendance financière, il faut remplacer l'habitude de « dépenser » par celle d'« économiser ».

Le simple fait d'abandonner une mauvaise habitude ne suffit pas, car elle laisse une brèche dans l'esprit et a tendance à réapparaître si la place qu'elle occupait n'est pas comblée par une autre, de nature différente.

> **Je suis reconnaissant à la vie d'être né pauvre, de n'être pas venu en ce monde accablé des lubies de parents riches, avec un sac d'or autour du cou.**

Plusieurs formules psychologiques vous ont été décrites tout au long des leçons dans le but de les mémoriser et de les mettre en pratique afin qu'elles deviennent des habitudes. Celle de la troisième leçon vous permettra de développer votre confiance personnelle.

Nous assumons que vous travaillez pour obtenir l'indépendance financière. L'accumulation d'argent n'est pas difficile une fois que vous avez maîtrisé la peur de la pauvreté et développé sa contrepartie l'habitude d'épargner.

Je ne voudrais pas vous donner l'impression que le succès ne se mesure qu'en dollars.

Cependant, l'argent représente un facteur important du succès et on doit lui accorder la place qui lui revient dans toute approche visant à aider les gens à devenir utile, heureux et prospère. En cette ère matérialiste qu'est la nôtre, la froide, cruelle et impitoyable vérité est que nous sommes bien peu de choses à moins de pouvoir nous retrancher derrière la puissance de l'argent!

Le génie peut valoir bien des honneurs à l'individu qui en est doté, mais s'il est sans argent pour l'exprimer et le concrétiser, c'est une coquille vide.

La personne dépourvue d'argent est à la merci de celui qui en a, et cela, sans tenir compte de ses habiletés, de sa formation, de son génie ou talents naturels.

Nul n'échappe à ce constat: les gens vous jugeront généralement à la lumière de votre compte en banque, peu importe qui vous êtes ou ce dont vous êtes capable. La première question qu'ils se posent quand ils rencontrent un étranger est *Combien d'argent a-t-il?* S'il a des moyens importants, il est invité partout, reçoit des propositions d'affaires, toutes sortes d'attentions : c'est un prince et il a droit à la part du lion. Mais si c'est l'inverse, que ses chaussures et ses vêtements sont usés et sales, qu'il affiche ouvertement des signes de pauvreté, les gens passeront leur chemin comme s'il n'existait pas.

Cette démonstration n'est guère réjouissante, mais elle a le mérite d'être *vraie*! Cette tendance à évaluer et à juger les gens d'après leur statut financier ou leur pouvoir relié à l'argent n'est pas réservée à une classe sociale en particulier: nous en portons tous la trace, que nous l'admettions ou non.

Thomas A. Edison, l'un des inventeurs les plus respectés au monde, serait pratiquement resté dans l'ombre s'il n'avait pas maintenu son habitude de conserver ses ressources et d'économiser son argent ce qui lui permit de mettre ses inventions sur le marché.

Henry Ford n'aurait jamais inventé sa « voiture sans chevaux » s'il n'avait développé très jeune l'habitude de l'épargne. De plus, s'il n'avait pas conservé ses ressources pour se retrancher derrière cette puissance, il aurait été « avalé » par ses concurrents ou ceux qui convoitaient son affaire depuis de longues années.

Bien des gens se sont rendus très loin, sur la route du succès, pour finir par trébucher et tomber sans jamais se relever, simplement par manque d'argent lors d'une urgence. Le pourcentage annuel de faillites causées par un manque de capital réservé aux urgences est sidérant. Ce seul motif provoque plus de faillites que toutes les autres causes combinées!

Un fonds de réserve s'avère donc essentiel pour la bonne gestion d'une entreprise!

De la même façon, un compte d'épargne est essentiel au succès individuel. Sans économies, l'individu souffre de deux façons: il ne peut profiter des opportunités réservées uniquement à ceux qui possèdent de l'argent liquide, puis il s'expose aux ennuis d'argent que toute urgence imprévue nécessite.

On peut aussi ajouter qu'il souffre d'une troisième façon : il ne développe pas l'habitude de l'épargne, qualité qui engendre d'autres qualités essentielles au succès.

Grâce à la courtoisie d'une compagnie de prêts, le tableau de la page 215 démontre clairement ce qu'épargner des sommes aussi minimes que $5., $10., $25., ou $50. par mois pourrait rapporter à son bénéficiaire sur une période de dix ans. Comme ces dix ans vont s'écouler quand même, ne préféreriez-vous pas vous être enrichi au cours de la même période?

Ces chiffres sont tout de même étonnants lorsqu'on considère ce qu'une personne dans la moyenne dépense (entre $5. et $50. par mois) pour acheter des marchandises inutiles, que par impulsion momentanée.

Quand une urgence se présente ou la possibilité d'acheter un article désiré et nécessaire, elle regrette amèrement toutes ces petites dépenses dont elle ne garde aucun souvenir, ni plaisir. Avant de sortir votre porte-monnaie ou carte de crédit, demandez-vous toujours si ce dont vous êtes sur le point de payer est d'une réelle nécessité. Si la réponse est à la négative, remettez votre mode de paiement dans votre poche et, vitement, repartez le sourire aux lèvres. Une idée géniale : prenez la somme que vous étiez sur le point de dépenser et mettez-la dans vos économies. Vous êtes ainsi la personne gagnante!

De nos jours, le mode de paiement pour nos achats se faisant surtout par cartes de crédit, la surprise ne vient qu'à la fin du mois lorsque le relevé nous tombe entre les mains. La constatation de nos dépenses du mois précédent est pratiquement toujours douloureuse. Des millions de personnes sont embourbées dans l'accumulation de dettes par cartes de crédit et ne paie que le solde dû mensuellement. Pour quelle raison devrions-nous enrichir les compagnies de cartes de crédit et nous appauvrir? Par manque de force mentale? Il est temps de prendre conscience de notre valeur personnelle en vue de préparer la valeur de notre portefeuille.

Gagner et épargner de l'argent est une science, mais les règles permettant de l'accumuler sont si simples qu'elles sont à la portée de tous. Le prérequis essentiel est la volonté de subordonner le présent à l'avenir, en éliminant les dépenses inutiles.

Un jeune homme, qui ne gagnait qu'un maigre salaire comme chauffeur d'un grand banquier de New York, fut incité par son employeur à faire un relevé précis de chaque dépense pendant une semaine: nourriture, logement, dépenses diverses, cinéma, journaux, etc.

Il constata qu'il aurait pu réduire ou éliminer une bonne partie de ses dépenses, ce qui lui aurait permis d'économiser une modeste

LA CROISSANCE EXPONENTIELLE DE VOTRE ARGENT!

Épargnez $5. par mois (que $0.17 par jour)

	Somme épargnée	Profit (env. 7% d'int.)	Épargne + profits	Valeur capitalisée
1ière année	$60.00	$4.30	$64.30	$61.30
2ième année	$120.00	$16.55	$136.00	$125.00
3ième année	$180.00	$36.30	$216.30	$191.55
4ième année	$240.00	$64.00	$304.00	$216.20
5ième année	$300.00	$101.00	$401.00	$338.13
6ième année	$360.00	$140.00	$500.00	$414.75
7ième année	$420.00	$197.10	$617.00	$495.43
8ième année	$480.00	$157.05	$737.50	$578.32
9ième année	$540.00	$324.95	$864.95	$687.15
10ième année	$600.00	$400.00	$1000.00	$1000.00

Épargnez $10. par mois (que $0.33 par jour)

	Somme épargnée	Profit (env. 7% d'int.)	Épargne + profits	Valeur capitalisée
1ière année	$120.00	$8.60	$128.60	$122.60
2ième année	$240.00	$33.11	$273.11	$250.00
3ième année	$360.00	$72.60	$432.60	$383.10
4ième année	$480.00	$128.00	$608.00	$520.40
5ième année	$600.00	$202.00	$802.00	$676.25
6ième année	$720.00	$280.00	$1000.00	$829.50
7ième année	$840.00	$394.20	$1234.20	$990.85
8ième année	$960.00	$514.10	$1474.10	$1156.64
9ième année	$1080.00	$649.90	$1729.90	$1374.30
10ième année	$1200.00	$800.00	$2000.00	$2000.00

Épargnez $25. par mois (que $0.83 par jour)

	Somme épargnée	Profit (env. 7% d'int.)	Épargne + profits	Valeur capitalisée
1ière année	$300.00	$21.50	$321.50	$306.50
2ième année	$600.00	$82.75	$682.75	$625.00
3ième année	$900.00	$181.50	$1081.50	$957.75
4ième année	$1200.00	$320.00	$1520.00	$1301.00
5ième année	$1500.00	$505.00	$2005.00	$1690.63
6ième année	$1800.00	$700.00	$2500.00	$2073.75
7ième année	$2100.00	$985.50	$3085.50	$2477.13
8ième année	$2400.00	$1285.25	$3685.25	$2891.60
9ième année	$2700.00	$1624.75	$4324.75	$3435.75
10ième année	$3000.00	$2000.00	$5000.00	$5000.00

Épargnez $50. par mois (que $1.66 par jour)

	Somme épargnée	Profit (env. 7% d'int.)	Épargne + profits	Valeur capitalisée
1ière année	$600.00	$43.00	$643.00	$613.00
2ième année	$1200.00	$165.00	$1365.00	$1250.00
3ième année	$1800.00	$363.00	$2163.00	$1915.50
4ième année	$2400.00	$640.00	$3040.00	$2602.00
5ième année	$3000.00	$1010.00	$4010.00	$3381.25
6ième année	$3600.00	$1400.00	$5000.00	$4147.50
7ième année	$4200.00	$1971.00	$6171.00	$4954.25
8ième année	$4800.00	$2570.50	$7370.00	$5783.20
9ième année	$5400.00	$3249.50	$8649.50	$6871.50
10ième année	$6000.00	$4000.00	$10,000.00	$10, 000.00

somme à chaque semaine. S'il avait pu épargner ce 25 $ mensuellement, l'épargne accumulée au bout de dix ans aurait représenté quelques milliers de dollars, un montant substantiel qui lui aurait procuré l'indépendance financière à l'âge de trente ans.

Faites l'exercice à votre tour pour mesurer la rapidité avec laquelle vous pourriez faire profiter vos économies. En économisant seulement 5$ par mois, votre profit serait de 1 000$ après 10 ans. Avec 10$, vous doublez le profit, avec 25$, vous avez accumulé 5 000$, avec 50$ vous avez atteint 10 000$ et ainsi de suite. Il s'agit que d'une toute petite décision qui tout de même donne une toute autre teinte à l'avenir d'une personne.

COMMENTAIRE

Wayne Wagner et Al Winnikoff, auteurs de Millionaire, *apportent une similarité en termes modernes. Ils discutent de l'investissement dans les fonds indexés qui sont relativement sécuritaires et qui typiquement améliorent leur valeur à un taux de plus de 10% par année. Ils travaillent à contrecourant du but qui est d'épargner un million de dollars.*

Si vous commencez à investir maintenant	# d'années pour atteindre $1 million à 65 ans	Investissement mensuel requis	Investissement journalier requis
25	40	$179.	5.97
30	5	$292.	$9.73
35	30	$481.	$16.03
40	25	$805.	$28.63
45	20	$1 382.	$46.07
50	15	$2 491.	$83.03

Maintenant, retournez à la page 215 et observez à combien se chiffrerait vos épargnes si vous aviez le courage de mettre quelques dollars de côté par semaine. En supposant que le montant épargné ne serait que de $25. par mois, au bout de dix ans, vos épargnes dépasseraient les $5 000.

Le jeune homme en question était âgé de vingt et un ans au moment où il commença à surveiller ses dépenses. Dès l'âge de trente et un ans, il aurait pu se constituer un montant substantiel en banque en n'épargnant que $25. par mois. Grâce à ces épargnes, il aurait pu considérer toutes sortes d'opportunités qui auraient pu lui procurer finalement l'indépendance financière.

Certains pseudo-philosophes dont la vision du futur est collée sur leur nez se complaisent à dire que personne ne peut s'enrichir en n'épargnant que quelques dollars par semaine.

Leur prévision pourrait s'avérer juste en tant que raisonnement. Mais, l'envers de la médaille est que l'épargne, même d'une infime somme d'argent, pourrait placer une personne dans une position qui, parfois, lui permettrait plus tard de prendre avantage d'une opportunité d'affaires qui, elle, pourrait l'amener assez rapidement à l'indépendance financière.

Le tableau de la page 215 démontrant ce qu'une épargne de seulement $5. par mois pourrait accumuler au bout de dix ans devrait être photocopié et collé sur votre miroir afin de le voir à chaque matin au lever et à chaque soir au coucher, et cela, tant et aussi longtemps que vous n'aurez pas encore acquis l'habitude de l'épargne de manière systématique. Ce tableau devrait être reproduit en gros chiffres et lettres et placé sur les murs de chaque école publique afin qu'il serve de rappel constant aux enfants de la valeur de l'habitude de l'épargne.

COMMENTAIRE

Un exemple moderne pourrait ressembler à ce qui suit. Terry, un professionnel, âgé de vingt-six ans, gagne $36 000. par année. Son bilan financier mensuel se décrit comme ceci :

Salaire mensuel: **$3 000.**

Dépenses :

Impôts	$900.
Nourriture	$200.
Loyer et factures	$750.
Paiement d'automobile	$200.
Assurance automobile	$100.
Essence	$100.

Vêtements	*$150.*
Factures de cartes de crédit	*$150.*
Emprunt étudiant	*$200.*
Argent de poche	*$250.*
Total des dépenses :	**$3 000.**

Terry ne peut pas épargner un seul sou. Il semble impossible d'y arriver tenant compte d'un paiement d'automobile, d'un appartement et l'achat de vêtements. Et cela, en plus du remboursement d'un prêt étudiant et d'un gros paiement de sa carte de crédit, car Terry l'utilise pour acheter des cadeaux d'anniversaire, des vacances, des réparations d'autos, et ainsi de suite. Son $250. d'argent de poche est dépensé pour des repas au restaurant, articles de toilette et autres petits achats. De quelle façon Terry peut-il s'en sortir?

Terry a fait de pauvres choix. Le dépôt initial pour la location d'une voiture a vidé son compte d'épargne et le coût de son assurance automobile est très élevé. Une apparence professionnelle peut être importante pour réussir, mais comme Terry a depuis longtemps établi une bonne base vestimentaire rendant ainsi les achats supplémentaires non nécessaires. Le solde de sa carte de crédit est de plus de $4 000. Il paie plus de $600. par année en intérêts, plus de $50. par mois! Un appartement moins coûteux pourrait lui procurer assez de liquidités pour payer la moitié de sa dette de carte de crédit pour l'année, épargnant ainsi un autre $300. La location de sa voiture est, malheureusement, une obligation envers laquelle Terry est engagé pour deux ans, au terme de laquelle il devra signer un nouveau bail ou acheter cette voiture, ce qui nécessiterait plusieurs milliers de dollars.

Terry a donc décidé de prendre le taureau par les cornes et de déménager dans un appartement un peu moins cher, lui permettant ainsi d'économiser $200. par mois. La moitié de cette somme est attribuée aux paiements de sa carte de crédit et le reste pour des achats qui, autrement, devraient être appliqués sur la carte de crédit. Également, Terry décide de mettre $20. de côté chaque semaine, ce qui n'est pas une grosse somme, mais pour Terry c'est un début important.

À la fin de l'année, il ne restera que $1 200. de solde sur la carte de crédit de Terry et ce solde sera à zéro dans six mois. À la fin de cette même année, Terry ara plus de $1 000. en banque. Après le moment de grâce où Terry n'aura plus de carte de crédit à payer, il aura $250. en supplément à chaque mois. Mais au lieu de dépenser cette nouvelle somme disponible, Terry aura entrepris l'habitude de l'épargne et il la consacrera à cette fin, ce qui lui permettra d'avoir accumulé $4 040. au cours des douze prochains mois.

En assumant la continuité annuelle de cette épargne de $4 040., il aura ainsi accumulé $10 500. avant d'avoir atteint ses trente ans. En ne présumant que 3% de croissance et en continuant sa contribution d'épargne annuelle, Terry atteindra la quarantaine ayant plus de $55 000. à son actif. Pouvoir s'appuyer sur un bas de laine est un merveilleux antidote contre la peur de la pauvreté. Il permet beaucoup plus facilement de développer la confiance en soi nécessaire à la poursuite d'un but précis. À quel point serait-il plus facile pour vous de prendre un risque si vous saviez que vous avez $55 000. de support financier?

(Les chiffres mentionnés proviennent de l'année 2003. Nous vous recommandons que vous les ajustiez à l'année actuelle malgré qu'ils ne servent qu'à démontrer la justesse du propos.)

Il y a de cela quelques années, avant que je n'accorde quelque intérêt que ce soit à l'habitude de l'épargne, j'ai personnellement fait une analyse de l'argent qui m'avait glissé entre les doigts. La somme était si alarmante que la leçon à propos de l'épargne fut ajoutée comme faisant partie intrinsèque des *dix-sept leçons des Lois du succès*.

(Voici le détail de l'état de mes dépenses : (ces chiffres proviennent de 1929) :

Héritage : investi dans une affaire de pièces d'automobiles avec un ami qui perdit la somme entière en une année	$4 000.
Argent supplémentaire gagné à écrire des articles pour des magazines et des journaux, dépensé tout à fait inutilement	$3 600.

Argent gagné pour la formation de 3 000 vendeurs
à l'aide de la philosophie des Lois du succès et
investi dans un magazine qui n'a pas été une
réussite parce qu'il n'avait aucune réserve de capital
pour le supporter $30 000.

Argent supplémentaire gagné pour des conférences,
tout dépensé au fur et à mesure $3 400.

Montant évalué qui aurait pu être épargné sur une
période de dix ans à partir de mes gains réguliers,
au taux de $50. par mois $6 000.

                                                         $47 000.

Cette somme, lorsque reçue, épargnée et investie dans l'immobilier et des prêts hypothécaires, ou d'une quelconque autre façon qui lui aurait permis de générer de l'intérêt composé aurait pu totaliser un montant de $94 000. au moment où cette leçon fut écrite.

Je n'ai jamais été victime d'habitudes telles que le jeu, l'alcool, ni de quelque autre forme de divertissement. Il est presque incroyable que quelqu'un ayant un style de vie plutôt modeste ait pu dépenser $47 000. sur une période d'environ dix ans sans qu'il n'en reste rien. Mais, comme vous pouvez le constater, c'est faisable!

Je me souviens très bien d'une occasion où le président d'une compagnie m'envoya un chèque de $500. pour une conférence lors d'un banquet offert à ses employés. Je me souviens bien clairement ce qui s'est passé dans ma tête lorsque j'ouvris l'enveloppe qui contenait ce chèque. Je désirais justement une nouvelle voiture et ce chèque représentait exactement le montant requis pour le dépôt. Je l'avais dépensé dans les premières trente secondes que je l'avais dans mes mains.

C'est probablement l'expérience que fait la majorité des gens. Ils pensent davantage à la façon de *dépenser* ce qu'ils gagnent, qu'à *épargner*. L'idée de l'épargne, de la maîtrise de soi et l'esprit de sacrifice pour s'y adonner, est toujours accompagnée de pensées de nature déplaisante. Car, comme il est délectable de penser à dépenser!

Il existe une raison à cela et c'est que la plupart de nous avons développé l'habitude de dépenser et négligé l'habitude d'épargner. Toute pensée qui fréquente l'esprit rarement n'est pas autant la bienvenue que celle qui la fréquente fréquemment. En vérité, l'habitude de l'épargne peut être rendue aussi fascinante que celle de la dépense peut sembler l'être. Cela ne peut survenir, par contre, tant que l'habitude n'est pas devenue régulière, bien enracinée et systématique. Nous aimons faire des choses qui sont souvent répétées, ce qui revient à dire ce que les scientifiques ont découvert : *nous sommes les victimes de nos habitudes.*

L'habitude de l'épargne requière plus de force de caractère que la plupart des gens ont développé parce qu'épargner signifie l'abnégation et le sacrifice de plaisirs et de sorties de toutes sortes. Pour cette même raison, la personne qui développe l'habitude d'épargner acquiert, du même coup, plusieurs des autres habitudes nécessaires qui mènent au succès, spécialement le *maîtrise de soi,* la *confiance en soi,* le *courage,* le *calme* et surtout la *libération de la peur.*

COMMENTAIRE

Même si certaines personnes dépensent indûment, cela ne signifie pas qu'elles soient riches. Dans le livre The Millionaire next door, *Thomas J. Stanley et William Danko révèlent que dépenser est quelque chose que la plupart des gens riches tentent d'éviter. La recherche des auteurs démontre que :*

- *Plus de 80% des millionnaires en Amérique ont accumulé leur fortune, ils ne l'ont pas héritée.*

- *La plupart des millionnaires ne vivent pas dans des agglomérations luxueuses mais plutôt dans la maison qu'ils habitaient quand ils ont commencé à accumuler leur fortune.*

- *La plupart des millionnaires conduisent des voitures conventionnelles, non pas des modèles importés de fantaisie et un sur trois achète toujours une voiture usagée.*

- *Le millionnaire moyen a un revenu annuel d'un peu plus de $130 000., sa vraie richesse provenant de son habitude d'épargner 20% de ses revenus.*

En bref, la plupart des millionnaires ne sont pas des acteurs ni des PDG de Fortune 500 ni des athlètes retirant des millions de dollars à chaque saison. Ils sont des gens qui gagnent bien leur vie sans gagner des revenus faramineux, mais qui ont pris l'habitude d'épargner.

COMBIEN DEVRIEZ-VOUS ÉPARGNER?

La première question que nous nous posons tous est : *Combien faut-il épargner?* La réponse ne tient pas en quelques mots, car le montant varie en fonction de plusieurs paramètres, dont certaines sont contrôlables et d'autres pas. De façon générale, un salarié devrait pouvoir répartir son revenu de la façon suivante:

Compte d'épargne ....20 %
Vêtements, logement, nourriture...........50 %
Éducation ....10 %
Loisirs ....10 %
Assurances ....10 %
                                                              100 %

L'explication qui suit indique la répartition approximative réelle du revenu de l'individu moyen:

Compte d'épargne ....RIEN
Vêtements, logement, nourriture ....60 %
Éducation ....0 %
Loisirs ....35 %
Assurances ....5 %
                                                              100 %

Un analyste expérimenté déclarait pouvoir dire avec précision le genre de vie que menait quelqu'un uniquement par l'examen de son budget mensuel. Qui plus est, il pouvait retirer la plus grande partie de ses informations du seul élément « loisirs ». Voilà donc un aspect à gérer aussi soigneusement que l'horticulteur le fait pour la survie de ses plantes.

Trop souvent, les dépenses reliées aux loisirs grugent le budget de façon excessive et néfaste, n'apportant pas toujours l'équilibre souhaité dans notre vie. Certains dépensent le tiers de leur revenu dans ce qu'ils appellent « loisirs », mais ils y incluent souvent trop de bouteilles de boissons alcoolisées ou autres substances qui affaiblissent leurs économies et parfois même leur humeur et leur santé.

Loin de moi l'idée de me faire moralisateur. Je traite ici de faits concrets qui constituent les matériaux de base pour bâtir son propre SUCCÈS. Ils ont une portée si directe sur la réalisation du succès que je ne peux les ignorer sans affaiblir l'ensemble du cours et cette leçon en particulier.

> # Réfléchissez bien avant de parler:
>
> # vos paroles peuvent implanter la semence
>
> # du succès ou de l'échec dans l'esprit
>
> # de quelqu'un d'autre.

COMMENTAIRE

Dans la prochaine partie, Napoleon Hill va aussi loin que de citer des exemples de gens qui utilisent leur argent pour se procurer de l'alcool plutôt que de l'épargner. Les éditeurs ont choisi d'inclure ces exemples dans cette nouvelle édition en tant que courtes leçons à propos de la nature humaine. En lisant la prochaine partie, dans votre esprit, remplacez le mot alcool avec les mots drogues, jeux vidéos, billets de loterie ou toute autre activité à la mode et, sans aucun doute, vous conviendrez que les histoires racontées par l'auteur qui proviennent des années 1927 sont toutes aussi contemporaines que les grands titres des journaux d'aujourd'hui.

En 1926, j'étais l'associé de Don R. Mellett, alors éditeur du *Canton (Ohio) Daily News*. Monsieur Mellett s'intéressa à ma philosophie des *lois du succès* parce qu'elle offrait des conseils pratiques aux jeunes gens voulant vraiment progresser dans la vie. Dans ses éditoriaux, il menait un combat acharné contre le monde interlope de la ville de Canton. Grâce au support de détectives et d'enquêteurs fournis par le gouverneur de l'Ohio, nous avons obtenu des renseignements précis sur le mode de vie de la plupart des résidants.

En juillet 1926, monsieur Mellett fut assassiné dans une embuscade et quatre hommes, dont un ancien membre de la police de Canton, furent condamnés à la réclusion perpétuelle. Pendant l'enquête, comme tous les rapports aboutirent sur mon bureau, les données que je rapporte ici proviennent donc de source sûre.

Pour agrémenter ses loisirs, un dirigeant d'une grande entreprise industrielle payait plus de la moitié de son salaire pour obtenir de l'alcool de contrebande à tous les mois.

Un employé de banque, dont le salaire était nettement inférieur, dépensait aussi la moitié de ses revenus à vadrouiller et consommer dans les bars, gaspillant son argent jusqu'à la faillite.

Un policier dépensait trois fois son salaire dans des réceptions et autres mondanités. La façon dont il se procurait ses revenus n'était sûrement pas à son honneur!

Un employé de banque dut remettre les deux tiers de son salaire à son fournisseur de boisson illégale pendant les trois mois où les enquêteurs de Mellett vérifièrent ses activités. La même chose pour un jeune homme qui travaillait dans un magasin à rayons et qui dépensait plus que son salaire pour s'approvisionner. On peut supposer qu'il volait la différence à son employeur.

La liste pourrait s'allonger ainsi longtemps! Même les jeunes dépensaient de grosses sommes pour s'offrir cet élixir frelaté. C'est le cas d'un jeune collégien dont le nom n'apparaissait nulle part dans les dossiers des contrebandiers, car il payait sur réception, dérobant l'argent à sa mère.

À la demande de directeurs de collèges, inquiets que 2% à peine des étudiants démontraient une tendance à l'épargne et considéraient cette habitude comme essentielle à leur succès, je me rendis dans une quarantaine d'institutions pour offrir des cours aux étudiants, à raison d'un par semaine durant la période scolaire.

Le principal de chacune de ces écoles secondaires était d'avis que moins de 2% des étudiants ne démontraient quelque tendance que ce soit envers l'épargne et une analyse plus approfondie à l'aide d'un questionnaire préparé à cet effet faisait la preuve que seulement 5% des étudiants sur un total de 11 000 d'âge pré-adulte croyait que l'habitude de l'épargne était essentielle au succès.

COMMENTAIRE

En 1999, selon une étude américaine traitant des jeunes et de l'argent, il a été dévoilé que 64% des étudiants disaient qu'ils n'en connaissaient pas autant qu'ils le devraient à propos des questions financières. Même ceux qui disaient parmi les étudiants qu'ils arrivaient à bien gérer leur argent, 49% pensaient qu'ils devraient en connaître davantage sur le sujet.

Malheureusement, la plupart des parents n'ont pas la moindre notion de la psychologie de l'habitude. Inconscients de leur erreur, ils éduquent et incitent leur progéniture à entretenir l'habitude de dépenser. L'argent de poche est alloué de façon excessive et souvent sans discernement, ce qui crée un manque d'entraînement et une entrave à l'épargne.

Les habitudes développées en bas âge s'impriment en nous de façon indélébile. Heureux l'enfant dont les parents apprécient et inculquent la valeur de l'habitude de l'épargne dans son esprit. Il s'agit d'un entraînement qui rapporte énormément.

Donnez un montant inattendu de 100$ à quelqu'un et il cherchera aussitôt comment il pourrait bien le DÉPENSER. Il ne lui viendra probablement jamais à l'idée, à moins qu'il ait acquis l'habitude de l'épargne, de le placer pour générer des intérêts. Avant la nuit, il aura dépensé tout l'argent ou saura comment en disposer.

Nous sommes tous dominés par nos habitudes!

Il faut de la force de caractère, de la détermination et la puissance de prendre une *décision* ferme pour ouvrir un compte d'épargne et y ajouter régulièrement une portion, même infime, de nos revenus. Il vous appartient de déterminer si vous voulez obtenir la liberté et l'indépendance financière, et cela n'a rien à voir avec votre revenu.

Cela dépend exclusivement de cette règle: *si vous prenez l'habitude d'épargner systématiquement une proportion précise de votre revenu total, vous êtes pratiquement assuré de votre indépendance financière. Si vous n'épargnez rien, il est certain que vous ne serez jamais financièrement indépendant, peu importe votre revenu.*

La seule et unique exception à cette règle serait de recevoir un colossal héritage qui vous mettrait à l'abri de tout, ce qui est fort peu probable. Il ne faut pas espérer ce genre de miracle!

À cause de la nature de mon travail, je jouis de plusieurs relations assez étroites avec des centaines de personnes à travers les États-Unis et à l'étranger. Durant plus de vingt-cinq ans, j'ai eu tout loisir d'observer leur façon de vivre et de connaître les *raisons* de leur succès ou de leur échec. Plusieurs contrôlent et possèdent des centaines de millions de dollars alors que d'autres, qui en étaient pourvues, ont vu ces millions partir en fumée, se retrouvant sans ressources.

Dans le but d'illustrer la façon dont la loi de l'habitude agit comme pivot autour duquel tournent succès et échec et pour vous démontrer la pertinence de développer l'habitude de l'*épargne systématique* pour devenir financièrement indépendant, je décrirai ici les habitudes de vie de quelques-unes de ces nombreuses relations.

Voici l'histoire complète et authentique de l'échec d'un homme connu qui se retrouva sans le sou après avoir gagné des millions dans le domaine de la publicité. L'*American Magazine* l'avait publiée à l'époque et elle peut être reproduite ici grâce à la courtoisie de ses éditeurs (copyright, The Crowell Publishing Co. 1927). Si je l'ai insérée dans ses moindres détails dans cette leçon, c'est que l'auteur de cette confession, W. C. Freeman, était disposé à rendre ses erreurs publiques, dans l'espoir que d'autres puissent les éviter.

UNE HISTOIRE TRISTE MAIS VRAIE

« J'AI FAIT UN MILLION DE DOLLARS, MAIS IL NE ME RESTE PLUS UN SOU! »

« Il est embarrassant, humiliant même, de confesser publiquement un défaut majeur qui a fait de ma vie actuelle un échec à peu près total. Néanmoins, j'ai décidé de faire cette confession pour le bien qu'elle pourrait apporter aux autres. Je vais tout révéler sur la façon dont j'ai laissé glisser, entre mes doigts, l'argent gagné jusqu'ici dans ma vie, soit à peu près un million de dollars, accumulés grâce à mon travail en publicité, mis à part quelques milliers de dollars obtenus à l'âge de 25 ans en enseignant dans des écoles de campagne et en écrivant des articles pour des journaux de la région.

« Peut-être qu'un seul million semble peu d'argent de nos jours, alors qu'on évoque souvent des fortunes se chiffrant en milliards, mais c'est quand même une grosse somme. Si vous pensez le contraire, essayez donc de compter jusqu'à un million! Récemment, réfléchissant au temps que ça me prendrait, j'ai calculé une moyenne de cent par minute. Sur cette base, il me faudrait vingt jours de huit heures, plus six heures et quarante minutes le vingt et unième jour pour accomplir l'exploit. Je doute fort que si on nous donnait, à vous ou à moi, la mission de compter un million de billets d'un dollar avec la promesse de nous les donner ensuite, nous y arriverions, au risque de ne plus y voir clair pendant quelque temps. Mais à quoi nous servirait alors tout cet argent?

« Laissez-moi vous confier d'abord que je n'ai aucun regret d'avoir dépensé 90% de mon argent. Souhaiter en récupérer une partie me donnerait l'impression d'avoir voulu priver ma famille et bien d'autres gens de beaucoup de bonheur. Mon seul regret est d'avoir tout dépensé, et même au-delà. Si j'avais aujourd'hui les 10% que j'aurais pu facilement mettre de côté, j'aurais 100 000$ placés dans un investissement sûr et je n'aurais pas de dettes. Si j'avais cet argent, je me sentirais réellement riche, ça me suffirait, car je n'ai jamais eu le désir d'accumuler de l'argent pour l'amour de l'argent.

« Les années consacrées à enseigner et à écrire pour les journaux comportaient des devoirs et des responsabilités, mais je m'en acquittais avec optimisme. Je me suis marié à vingt et un ans, encouragé par les parents des deux familles, qui croyaient fermement à la doctrine de Henry Ward Beecher: *Un mariage jeune est un mariage vertueux.* Exactement un mois et un jour après mon mariage, mon père a connu une mort tragique après avoir suffoqué à cause du gaz de houille. Ayant été enseignant toute sa vie - et l'un des meilleurs - il n'avait pas amassé un sou.

« Après sa mort, nous avons dû nous serrer les coudes, car ma mère et ma soeur vivaient avec nous. Nous vivions cependant une vie harmonieuse, en dépit du fait que nous tirions le diable par la queue. Ma mère, une femme aux talents exceptionnels et pleine de ressources (elle avait enseigné avec mon père jusqu'à ma naissance), a décidé d'accueillir un couple d'amis de la famille dont la pension a aidé à payer les dépenses. Plus tard, deux femmes fortunées, amies de la famille, ont emménagé chez nous, augmentant ainsi notre revenu. Ma soeur apportait une aide substantielle en tenant une garderie dans notre grand salon et ma femme contribuait au ménage en se chargeant de la couture et du raccommodage.

« Nous coulions des jours heureux sans extravagance sur le plan de nos besoins matériels, sauf peut-être mon attitude plutôt désinvolte avec l'argent : j'aimais faire des cadeaux à la famille et distraire les amis. Quand notre fils est né, ce fut un immense bonheur partagé par nos deux familles, toujours prêtes à nous venir en aide. Même mon beau-frère, célibataire endurci, a commencé à se pavaner, fier comme un paon de son neveu. Quelle différence peut faire un bébé dans une maison!

« Je mentionne tous ces détails pour mettre l'accent sur la façon dont je vivais à cette époque. J'avais peu d'occasions de dépenser et j'étais pourtant plus heureux que je ne l'ai jamais été depuis. Ce qui m'étonne, c'est que l'expérience de ces jours-là ne m'ait pas appris la valeur de l'argent. Si quelqu'un a bien eu une leçon pratique pour le guider dans la vie, c'est bien moi!

« La naissance de mon fils m'a incité à vouloir un meilleur salaire que celui que je gagnais comme enseignant et journaliste. Je souhaitais libérer ma femme, ma mère et ma soeur de leur obligation à travailler. Pourquoi un homme grand, fort et en santé, comme je l'avais toujours été, et avec des capacités raisonnables, se contenterait-il de n'être qu'un rayon de la roue alors qu'il pouvait l'être au complet, comme pourvoyeur de la famille?

« Désireux d'augmenter mes revenus, j'ai ajouté la vente de livres, tout en poursuivant mes deux autres activités professionnelles. Comme ça marchait bien, j'ai finalement quitté l'enseignement pour me concentrer sur mes nouvelles fonctions. Mon travail de vendeur m'a amené à Bridgeton, au New Jersey, où j'ai connu mon premier vrai départ financier. Je devais m'absenter de la maison, mais le jeu en valait la chandelle : en quelques semaines, j'ai fait parvenir chez moi plus d'argent que ce qu'avait généré la meilleure de mes années d'enseignement et de rédaction d'articles.

« Tout en découvrant la région, je me suis intéressé au journal de Bridgetown, le *Morning Star*. Je suis allé rencontrer l'éditeur-rédacteur pour lui proposer mes services en tant qu'assistant. Il a décliné mon offre, prétextant qu'il gagnait à peine de quoi le faire vivre. J'ai objecté que si nous faisions équipe justement, nous pourrions donner un nouveau vent de succès au *Star*. Je lui ai donc proposé de travailler pour lui pendant une semaine, au tarif de 1$ par jour. S'il était satisfait de mon travail, il me paierait 3$ par jour la deuxième semaine, puis 6$ par jour la troisième semaine et ainsi de suite jusqu'à ce que le journal fasse assez d'argent pour me payer 50$ par semaine.

« Le propriétaire du journal a accepté mon offre. Après deux mois, je gagnais 50$ par semaine, ce qui constituait un gros salaire pour l'époque. J'estimais que j'étais bien parti pour faire de l'argent, car ce que je voulais par-dessus tout, c'était faciliter la vie des miens. Un montant de 50$ par semaine représentait quatre fois mon salaire d'enseignant. Mon travail au *Star* consistait à rédiger des éditoriaux, des reportages, à m'occuper de la rédaction, de la vente de publicité, de la correction d'épreuves, de l'encaissement des factures, etc. J'y travaillais six jours par semaine, mais ma santé et mon tempérament énergique me le permettaient; de plus, le travail était très intéressant. Je correspondais aussi avec le *New York Sun,* le *Philadelphia Record* et le *Trenton Times* (dans le New Jersey), ce qui me rapportait environ 150$ par mois.

« Une leçon qui allait éventuellement modeler le cours de ma vie s'est imposée assez vite d'elle-même : il y avait beaucoup plus d'argent à faire en vendant de la publicité pour les journaux qu'en rédigeant des articles pour eux. C'est la publicité qui amène l'eau au moulin. Un seul contrat de publicité payé par les producteurs d'huîtres au sujet de l'industrie de l'huître du sud du New-Jersey, a rapporté 3 000$ au *Star,* somme que nous nous sommes partagée en parts égales, l'éditeur et moi. Jamais, de toute ma vie, je n'avais vu autant d'argent! Imaginez! Un montant de 1 500$: 25% cent de plus que ce que j'avais gagné en deux ans d'enseignement et de tâches diverses. Croyez-vous que j'aie mis cet argent, ou une partie, de côté? Non. Il a servi à combler ma famille, le faisant glisser entre mes doigts bien plus facilement que je ne l'avais gagné. J'aurais dû en mettre de côté pour les mauvais jours...

« Mon travail à Bridgeton a attiré l'attention de Sam Hudson, correspondant du *Philadelphia Record,* au New Jersey, brillant journaliste dont le plus grand plaisir dans la vie était de rendre service aux autres. Il m'a dit qu'il était temps pour moi de m'installer dans une grande ville où j'avais, selon lui, tout le potentiel pour réussir. Il m'a trouvé un emploi à Philadelphie où ma femme et mon bébé sont venus me rejoindre. J'ai été chargé du département de publicité du *Germantown Gazette* (Philadelphie), un hebdomadaire.

« Au début, mes revenus étaient moindres qu'à Bridgeton, parce que je ne m'occupais plus de la correspondance avec les autres journaux. Pourtant, bien vite, j'ai gagné 25% plus d'argent. La *Gazette a* triplé de volume à cause de la publicité insérée et j'ai reçu chaque fois une augmentation de salaire substantielle. Qui plus est, on m'a confié le travail de rassembler les nouvelles mondaines pour l'édition dominicale du *Philadelphia Press.* Bradford Merrill, rédacteur en chef du journal, devenu un important cadre d'un journal new-yorkais, m'a confié un très vaste territoire à couvrir, ce qui me gardait occupé tous les soirs de la semaine, sauf le samedi. On me payait 5$ par colonne, ce qui, à raison de sept colonnes en moyenne tous les dimanches, ajoutait un supplément hebdomadaire de 35$.

« Comme je n'avais aucune notion budgétaire, je dépensais l'argent comme il arrivait, prétextant ne pas avoir le temps de gérer mes dépenses.

« Un an plus tard, on m'a invité à joindre l'équipe de publicité du *Philadelphia Press,* une merveilleuse opportunité pour un jeune homme de mon âge. J'ai reçu un excellent entraînement sous la férule de William L. McLean, devenu propriétaire du *Philadelphia Evening Bulletin.* J'ai conservé mon emploi de cueillette d'informations mondaines, ce qui me donnait à peu près le même revenu que celui que je gagnais à Germantown. Mais avant longtemps, mon travail a attiré l'attention de James Elverson senior, éditeur du vieux *Saturday Night and Golden Days,* qui venait d'acheter le *Philadelphia Inquirer,* dont j'ai accepté la gestion de la publicité, ce qui signifiait un revenu nettement supérieur.

« Par la suite, ma famille s'est agrandie avec la venue d'un autre bébé, une petite fille. J'étais maintenant en mesure de réaliser le rêve que je chérissais depuis la naissance de mon fils : rassembler à nouveau la famille sous un même toit avec ma mère et ma soeur. J'étais heureux de pouvoir libérer ma mère de toute responsabilité, ce qui s'est réalisé. Je n'oublierai jamais ses dernières paroles avant sa mort à l'âge de 81 ans: « Will, tu ne m'as jamais causé de soucis depuis ta naissance et tu m'as offert plus que si j'avais été la reine d'Angleterre. »

« À ce moment-là, je gagnais quatre fois plus d'argent que mon père en avait fait comme commissaire des écoles publiques dans ma ville natale de Phillipsburg, au New Jersey. Mais tout cet argent sortait de mes poches comme l'eau d'une passoire. Les dépenses augmentaient proportionnellement à mon revenu, ce qui est le cas pour la plupart des gens, je suppose. J'accumulais les dettes sans m'inquiéter, assuré de pouvoir les régler quand bon me semblerait. Jamais l'idée ne m'est venue - du moins pas avant que vingt-cinq années ne se soient écoulées - que les dettes pourraient finir par me causer beaucoup d'anxiété et de problèmes, en plus de me faire perdre mes amis et mon crédit.

« Je dois cependant me rendre justice pour une chose: je laissais toute liberté à mon gros défaut : dépenser l'argent aussi vite qu'il rentrait, et souvent plus vite, mais je ne me dérobais jamais à mon travail. J'essayais toujours de trouver plus de choses à faire et je les trouvais toujours, passant très peu de temps avec ma famille. Je rentrais souper chaque soir, jouais avec les enfants jusqu'à leur coucher, puis retournais au bureau pour travailler.

« Les années ont passé. Une autre fille est née. Je voulais ce qu'il y avait de mieux pour mes enfants : un poney et une voiturette pour les filles, un cheval pour mon fils, une belle auto pour promener ma famille. Au lieu d'un cheval ou deux, ce qui aurait suffi à nos besoins et que nous aurions pu nous permettre, il m'a fallu une écurie, avec tous les accessoires, ce qui m'a coûté près du quart de mon revenu annuel. De plus, mes enfants passaient tous les hivers dans les stations de Pinehurst, et tous les étés dans les stations coûteuses des Adirondacks, ce qui me coûtait une somme colossale!

« Puis, je me suis mis au golf à l'âge de 41 ans, y investissant la même énergie qu'au travail. Mes enfants sont devenus membres et ont appris à bien jouer, eux aussi, ce qui m'a coûté très cher. À nous trois, nous avons gagné 180 trophées! J'ai calculé que chacun m'avait coûté 250$ pour un total de 45 000$ sur une période de 15 ans, soit une moyenne annuelle de 3 000$. Ridicule, n'est-ce pas? J'invitais souvent des groupes d'hommes d'affaires pour une journée de golf et un souper au club. Ils se seraient contentés d'un souper à la maison, mais il fallait que je leur serve un repas élaboré présenté par un grand traiteur et accompagné de musique.

« Je donnais fréquemment de grandes réceptions chez moi et on me croyait millionnaire. Je faisais venir un quatuor de musiciens pour agrémenter les repas et la soirée d'une vingtaine de personnes qui partageaient notre table. J'étais heureux dans ce rôle d'hôte accueillant et je ne réfléchissais jamais aux dettes que j'accumulais. Un jour pourtant, cela m'a préoccupé : j'avais déboursé un tel montant au club de golf pour des invités, leur payant les frais de la partie, les repas et les cigares, que les directeurs du club, de bons amis soucieux de mon bien-être, m'ont suggéré de surveiller mes dépenses. Cela m'a causé un choc qui m'a fait réfléchir sérieusement, au point de me défaire de mon auto luxueuse et de mes chevaux, ce qui était un gros sacrifice. J'ai quitté notre grande demeure cossue pour retourner vivre à la ville, mais je n'ai laissé aucune facture impayée au Club, empruntant pour les acquitter. Je réussissais facilement à obtenir l'argent nécessaire, en dépit de mes problèmes financiers bien connus.

« Voici deux autres aspects que j'ai expérimentés durant ma flamboyante quarantaine. Outre le fait de dépenser mon argent à l'aveuglette, je le prêtais avec la même désinvolture. En nettoyant mon bureau avant de déménager à la ville, j'ai découvert une liasse de reconnaissances de dettes pour un total de plus de 40 000$, sommes que j'avais prêtées à qui me le demandait. Si j'avais eu tout cet argent en main, je n'aurais pas été endetté.

« Un homme d'affaires prospère, que je fréquentais souvent, m'a dit un jour qu'il n'avait plus les moyens de faire des activités avec moi, car je dépensais trop et il ne pouvait plus me suivre. Imaginez! Une telle remarque venant d'un homme plus riche que moi! Cela aurait dû me faire réfléchir, mais j'ai continué plutôt à glaner du bon temps ici et là, insouciant de l'avenir. Cet homme est devenu l'un des vice-président d'une des plus grandes institutions financières de New York et sa fortune est estimée à plusieurs millions de dollars. J'aurais dû suivre son conseil!

« À l'automne 1908, après une expérience désastreuse de six mois dans un autre genre d'affaires qui avait suivi ma démission de l'organisation Hearst, j'ai repris le travail dans les journaux comme directeur de publicité au *New York Evening Mail*. J'avais connu Henry L. Stoddard, son éditeur et propriétaire, au temps où je travaillais à Philadelphie et qu'il était correspondant politique pour le *Press*. En dépit du fait que j'étais ennuyé par mes dettes, j'ai effectué le meilleur travail de ma vie pendant mes cinq années au *Evening Mail*, et j'y ai gagné plus d'argent que jamais auparavant. Qui plus est, monsieur Stoddard m'a accordé le privilège du publier des exposés publicitaires simultanés dans plusieurs journaux, qui sont parus dans mille numéros consécutifs de son journal, ce qui me rapporta plus de 55 000$.

« Monsieur Stoddard était très généreux avec moi, me payant souvent des montants supplémentaires pour ce qu'il considérait être un travail inhabituel qui faisait avancer les affaires. Durant cette période, j'étais tellement endetté que, pour éviter de réduire mes dépenses, j'ai emprunté à Pierre pour payer Paul et à Paul pour payer Pierre. J'ai dépensé cette somme de 55 000$ acquise avec les publicités, aussi facilement que si je n'avais pas eu un seul souci au monde. Si j'avais payé mes dettes avec ce montant, il me serait même resté un joli magot.

« En 1915, j'ai démarré à mon compte dans la publicité. Jusqu'au printemps 1922, mes revenus étaient énormes. Je gagnais plus d'argent que jamais auparavant, mais je le dépensais tout aussi vite, jusqu'à ce que mes amis se lassent de m'en prêter. Si j'avais démontré la moindre inclinaison à réduire quelque peu mes dépenses, ne serait-ce que de 10%, ces amis merveilleux auraient été disposés à partager ce pourcentage, me laissant les rembourser avec le premier 5% et économiser avec l'autre 5%. Ce n'était pas tant le retour de leur argent qui les inquiétait, que leur désir de me voir faire un effort.

« Le désastre dans mes affaires s'est produit en 1922. Deux amis qui m'avaient loyalement soutenu ont décidé de me donner une sérieuse leçon et j'ai été acculé à la faillite. J'avais le cœur en mille morceaux : il me semblait que toutes mes connaissances me pointaient du doigt avec mépris, ce qui n'était pas le cas. Ils exprimaient plutôt un regret sincère qu'un homme de mon envergure, ayant acquis tant de prestige professionnel et financier, en soit réduit à cet état.

« Fier et extrêmement sensible, j'ai ressenti si durement la honte de la faillite que j'ai décidé de déménager en Floride, où j'avais déjà travaillé pour un client, espérant que ce serait mon Eldorado. Je croyais pouvoir gagner suffisamment d'argent en quelques années pour retourner à New York et y acquitter toutes mes dettes. Cela a semblé possible pendant un certain temps, mais j'ai été pris dans la tourmente du grand désastre immobilier. J'étais donc revenu dans mon ancienne ville, où j'avais eu auparavant la possibilité de faire beaucoup d'argent et de me gagner l'amitié de nombreux amis qui me voulaient du bien. Cela a été une expérience étrange!

« Une chose est sûre: j'ai enfin retenu la leçon. Je sais que les occasions de me racheter se présenteront et que j'aurai de nouveau la possibilité de faire de bonnes affaires. Quand ce moment arrivera, je serai en mesure de vivre on ne peut mieux avec 40% de mon revenu. Je diviserai le reste en deux moitiés: 30% pour payer mes dettes et l'autre 30% pour mes assurances et l'épargne.

« Si je m'étais senti déprimé ou anxieux à cause de mes erreurs passées, j'aurais été incapable de mener le combat pour me racheter. Je me serais trouvé ingrat envers mon Créateur qui m'avait donné la plus grande bénédiction : la santé! J'aurais failli à la mémoire de mes parents qui m'avaient inculqué de solides valeurs morales. J'aurais aussi manqué de reconnaissance envers les nombreux hommes d'affaires et amis qui m'avaient aidé dans ma carrière en m'encourageant et en m'appuyant si généreusement dans les périodes les plus difficiles.

« Ces souvenirs sont les rayons de soleil de ma vie dont je me servirai pour paver la voie de mes réalisations futures. Grâce à ma santé, à ma foi inébranlable, à mon énergie inépuisable, à mon optimisme constant, à ma confiance illimitée de pouvoir gagner mon combat, même si ce n'est que tard dans la vie, je saurai y arriver. Y a-t-il autre chose que la mort pour arrêter un homme? »

———————————

L'histoire de monsieur Freeman, l'enjeu financier mis à part, est la même que celle de milliers d'autres personnes qui n'ont pas eu la sagesse d'épargner. Son témoignage illustre bien comment fonctionne l'esprit du dépensier, sa façon de vivre et les motifs qui le poussent à agir comme il le fait.

Le système d'achat à crédit est rendu si populaire et si facilement accessible que les consommateurs y ont parfois recours de façon déraisonnable, ce qui les mène droit à l'endettement, car cette manière de payer virtuellement crée une fausse illusion de richesse :

elle doit être maîtrisée par la personne même qui a décidé acquérir l'indépendance financière.

Cela est réalisable par toute personne désireuse d'essayer.

Le fait que notre pays soit si prospère constitue à la fois un malheur et une bénédiction : l'argent vient facilement, mais si nous sommes négligents, il s'envole encore plus facilement.

Les guerres ont favorisé les exportations de tous nos produits et cette prospérité a conduit les gens à développer des habitudes de consommation irréfléchies. Il n'y a aucun intérêt à « viser le même niveau de consommation que ses voisins » si cela signifie sacrifier l'habitude d'économiser une partie fixe de son revenu. Il vaut mieux vivre plus modestement grâce à une épargne systématique que subir les contrecoups désastreux de dépenses qui sont hors de notre budget.

Il est de pratique populaire de nos jours que les familles s'achètent une automobile à remboursements mensuels, ce qui implique une trop grande dépense en comparaison de leurs revenus. Si vous avez les moyens de vous procurer une Ford, il est alors désastreux d'acheter une voiture plus coûteuse. Vous devriez contrôler vos désirs et vous contenter d'une voiture selon vos moyens. Trop de gens dépensent presque la totalité de leurs revenus, accumulant en même temps d'autres dettes, en achetant des automobiles en dehors de leurs moyens financiers. Cette pratique populaire est fatale à la réussite, en autant que l'indépendance financière est considérée une partie de la réussite.

Mieux vaut se restreindre quand nous sommes plus jeunes que d'y être forcés à l'âge adulte. Rien n'est plus humiliant et douloureux que le fait de vieillir sans pouvoir payer pour les services dont nous avons besoin et être une charge pour nos proches ou la société.

Nous devrions tous avoir un budget, célibataires ou non! Mais, pour cela, il faut avoir le courage de sabrer dans nos dépenses et cesser de vouloir imiter le train de vie des gens qui nous impressionnent, sinon aucun budget ne nous viendra en aide.

L'habitude de l'épargne signifie, jusqu'à un certain point, de sélectionner nos amis en fonction des goûts partagés pour des divertissements abordables correspondant à nos besoins.

Il a été prouvé que de ne pas avoir le courage de réduire nos dépenses en vue d'économiser de l'argent revient à admettre l'absence de potentiel qui mène au succès.

Ces leçons que nous venons d'analyser ont démontré que les gens ayant développé l'habitude de l'épargne obtiennent toujours les postes de responsabilité. Non seulement l'épargne apporte-t-elle des avantages concernant l'emploi et le compte en banque, mais elle augmente aussi la capacité à gagner des gains encore plus importants. Les gens d'affaires préféreront employer une personne qui a le souci de l'épargne surtout à cause des caractéristiques parallèles qu'elle a dû développer et qui la rendent plus efficace.

D'ailleurs, ce devrait être une pratique courante dans toutes les entreprises d'affaires d'exiger que leurs employés mettent des économies de côté. Ce serait une bénédiction pour des milliers de gens incapables d'économiser autrement.

C'est ce que Henry Ford a fait auprès de ses employés, en plus de les inciter à dépenser avec discernement et modération. C'est pourquoi on le considère comme un philanthrope pratique

---

Je suis reconnaissant des malheurs qui ont croisé mon chemin, car ils m'ont appris la tolérance, la sympathie, la maîtrise de soi, la persévérance et d'autres vertus que j'aurais pu ne jamais connaître.

COMMENTAIRE

La bonne procédure c'est de prendre la décision d'épargner un certain pourcentage de chaque montant d'argent reçu. Cette méthode s'appelle : « se payer d'abord ». Même si 20% semble intimidant, cette pratique deviendra plus facile à gérer au fur et à mesure que vous vivrez l'exaltation de voir augmenter vos épargnes. Si votre présente situation ne vous permet pas d'épargner 20% de vos gains, choisissez un autre montant, même si ce n'était que 5%. Chaque $1 000. gagnés, représenterait une épargne de $50. Répétez ce 5% dix fois et vous obtenez une somme rondelette de $500.

Vous constaterez qu'en voyant l'augmentation de vos épargnes, vous gagnerez en confiance personnelle. Vous réaliserez que vous êtes capable d'épargner. Dites-vous bien que si vous arrivez à épargner 10% ou même 15%, sous peu, vous vous rendrez à l'évidence que 20% est beaucoup plus atteignable.

Vous devriez faire tout en votre possible pour réussir à épargner trois mois de vos gains mensuels. Ceci vous procurerait un important coussin de sécurité dans l'éventualité d'une difficulté inattendue. Encore mieux, l'accumulation d'une année de vos gains en épargne, vous procurerait un grand sentiment de liberté.

Si vous n'avez pas plus à la banque que ce qui vous mènera à la prochaine semaine, cette proposition vous semblera être un but énorme. Même en épargnant 20% de vos gains, vous aurez besoin de presque cinq ans pour atteindre ce niveau d'épargne. **Mais si vous ne faites rien, dans cinq ans, vous serez encore autant pris au piège que vous l'êtes présentement.**

Il est possible que vos amis se demandent la raison pour laquelle vous conduisez encore la même voiture ou la raison pour laquelle vous n'avez pas fait certains achats. Vous pouvez être concerné par la peur de la critique, mais si ces gens vous mesurent seulement par l'extravagante façon que vous dépensez votre argent, ils ne sont probablement pas les meilleurs amis à avoir.

Évitez la tentation de vous vanter de vos épargnes. À moins de vous joindre à un projet d'affaires, ça ne regarde personne. Il est trop facile de devenir le dindon de la farce et d'être qualifié de radin. Vous pouvez aussi être la cible d'un soi-disant ami qui vient à vous, la mine basse, vous demander un prêt dont vous ne reverrez jamais la couleur de l'argent, si vous cédez.

Apprenez le plus possible de quelle façon gérer vos épargnes. Il existe plusieurs bons guides de gestion.

Bien sûr, accumuler une réserve vous sera également très utile pour la poursuite de votre but clairement défini. Quand le moment viendra en ce sens, assurez-vous de conserver une partie de vos économies. Certaines personnes veulent faire un saut dans le succès, et cela sans attendre. Il y aura des surprises et probablement quelques revers en chemin. Conserver un petit coussin de prévoyance vous procure la résilience pour rebondir du désappointement et prendre avantage des leçons qu'il vous a enseigné.

Votre engagement envers l'habitude de l'épargne vous préparera à accepter et utiliser toutes les leçons des Lois du Succès.

LES OPPORTUNITÉS VIENNENT À CEUX QUI ONT ÉPARGNÉ DE L'ARGENT

Il y a longtemps déjà, un jeune homme vint travailler dans une imprimerie de Philadelphie. Il fut influencé par un collègue qui avait pris l'habitude d'économiser 5$ par semaine pour acheter des parts dans une compagnie de prêts hypothécaires et il fit de même. Au bout de trois ans, il avait économisé 900$. L'imprimerie pour laquelle il travaillait connut des difficultés financières et se retrouva au bord de la faillite. Il vint à sa rescousse avec les 900$ économisés et devint détenteur de la moitié des parts. *(Ce livre a initialement été écrit en 1929; les chiffres mentionnés proviennent de cette époque.)*

En instaurant un système efficace d'économie, il aida l'entreprise à payer ses dettes et sa moitié des profits lui permit de retirer un peu plus de 25 000$ par année.

Une telle opportunité n'aurait jamais été possible sans son habitude de l'épargne ou si elle s'était présentée, il n'aurait pas été préparé à la saisir.

Pour perfectionner son automobile à ses tout débuts, Ford eut besoin de capital pour lancer la fabrication et la vente de son produit. Il se tourna vers certains amis qui avaient économisé quelques milliers de dollars, dont le sénateur Couzens. Ils acceptèrent de lui prêter quelques milliers de dollars dont ils retirèrent plus tard des millions en profits.

Quand Woolworth lança ses premiers magasins « 5-10-15 », il n'avait aucun capital. Des amis qui avaient économisé à grands coups de sacrifices lui prêtèrent quelques milliers de dollars et reçurent, par la suite, des profits énormes.

Van Heusen, le roi du col mou, conçut la brillante idée de produire un col semi-mou pour les chemises d'hommes, mais il n'avait pas un sou pour le lancer. Il demanda l'aide d'amis qui possédaient quelques centaines de dollars, ce qui lui permit de démarrer son projet, rendant riche chaque ami prêteur.

Les hommes qui lancèrent les cigares *El Producto* avaient peu de capital, mis à part l'argent économisé à même leurs petits gains en tant que fabricants de cigares. Ils possédaient une bonne idée et connaissaient l'art de faire un bon cigare, mais l'idée aurait avorté s'ils n'avaient économisé un peu d'argent. Leurs maigres épargnes leur permirent de lancer leurs cigares et d'en tirer 8 000 000$ lorsqu'ils vendirent leur entreprise à l'*American Tobacco Company*.

À l'origine de presque toutes les grandes fortunes se trouve l'habitude systématique de l'épargne.

John D. Rockefeller était un comptable bien ordinaire. Il conçut l'idée de développer le commerce du pétrole à une époque où cela n'était même pas considéré comme un commerce. Grâce à ses économies, il n'eut aucun mal à emprunter l'argent dont il avait besoin, ayant ainsi démontré aux prêteurs qu'il était en mesure de rembourser.

On peut donc affirmer que la base réelle de sa fortune réside dans son habitude de l'épargne développée alors qu'il travaillait dans la comptabilité pour 40$ par mois.

James J. Hill était un jeune homme pauvre, gagnant mensuellement que le salaire minimum comme télégraphiste. Il conçut l'idée du système *Great Northern Railway*, mais son idée était sans commune mesure avec sa capacité à la financer. Malgré son maigre salaire, il avait pris l'habitude de l'épargne mensuelle, ce qui lui permit de se payer un voyage à Chicago, où il intéressa des hommes d'affaires à son projet. Ils furent impressionnés par son sens de l'économie et ce fut une preuve suffisante démontrant qu'il était un homme sûr à qui on pouvait confier de l'argent.

Un jeune homme travaillant dans une imprimerie de Chicago souhaitait partir à son compte. Il alla rencontrer un fournisseur d'imprimerie pour lui demander de lui faire crédit pour acheter une presse typographique, quelques caractères et autre matériel d'imprimerie.

La première question dont le gérant se préoccupa fut: « Avez-vous des économies personnelles? »

Il était fier de lui dire que depuis quatre ans, il avait économisé régulièment, à tous les mois, la moitié de son salaire. Il obtint le crédit qui lui permit de bâtir l'une des imprimeries les plus prospères de Chicago. George B. Williams est bien connu tout comme les faits que je viens de relater.

Bien des années après sa réussite, j'allai le rencontrer pour lui demander un crédit de plusieurs milliers de dollars, dans le but de publier le *Golden Rule Magazine*. La première question qu'il me posa fut:

« Avez-vous pris l'habitude d'économiser de l'argent? »

En dépit du fait que j'avais perdu toutes mes économies à cause de la guerre, le simple fait que j'avais réellement développé l'habitude de l'épargne fut la vraie base sur laquelle j'obtins un crédit de plus de 30 000$.

Il y a plein d'opportunités qui se présentent à nous, mais elles ne sont accessibles qu'à ceux qui ont l'argent disponible ou qui peuvent en obtenir grâce à leur habitude de l'épargne qui a généré d'autres bonnes habitudes qui vont de pair et qui sont connues sous le nom général de « caractère ».

J. P. Morgan dit un jour qu'il préfèrerait prêter un million de dollars à un homme raisonnable ayant développé l'habitude de l'épargne, que mille dollars à un panier percé sans caractère.

C'est généralement l'opinion de la plupart des gens. Il arrive souvent qu'un petit compte d'épargne suffise à lancer son propriétaire sur la route de l'indépendance financière.

Un jeune inventeur mit au point un article ménager unique et pratique. Comme cela arrive souvent aux inventeurs, il n'avait pas l'argent nécessaire pour commercialiser sa découverte et comme il n'avait pas pris l'habitude de l'épargne, il se trouva dans l'impossibilité d'emprunter de l'argent aux banques.

Son colocataire, un jeune mécanicien ayant économisé quelques centaines de dollars, vint à son secours, ce qui leur permit de fabriquer suffisamment d'articles qu'ils vendirent d'abord en faisant du porte à porte. Ils recommencèrent ainsi jusqu'à ce qu'ils aient accumulé un capital de 1 000$, somme qui leur permit d'obtenir du crédit avec lequel ils achetèrent les outils pour fabriquer eux-mêmes leur produit.

Six ans plus tard, le jeune mécanicien vendit la moitié des parts qu'il avait dans l'affaire et se retira avec 250 000$ en poche. Jamais il n'aurait pu accumuler une telle somme au cours de sa vie s'il n'avait développé l'habitude de l'épargne qui lui avait permis de venir au secours de son ami l'inventeur.

On pourrait raconter mille histoires semblables dont les détails varient à peine. Elles reflètent toutes la naissance de plusieurs grandes fortunes.

COMMENTAIRE

> *Il peut y avoir des moments où vous trouvez que même si vous avez épargné de l'argent, il est difficile de persuader les autres de vous appuyer, tout simplement dû au fait que votre vision est plus grande que la leur. Les femmes entrepreneures ont, malheureusement, vécu cette expérience. Mais un petit compte d'épargne de quelques milliers de dollars seulement peut souvent être suffisant pour débuter une petite entreprise. Mary Kay Ash a débuté sa compagnie de cosmétiques avec $5 000. de ses économies personnelles. Lillian Vernon a commencé sa compagnie de ventes directes par catalogues avec $2 000. de ses épargnes. Elles ont créé leurs occasions d'affaires grâce à leur habitude de l'épargne.*

Alors je le répète, au risque de paraître cruel : si vous n'avez pas d'argent et si vous n'avez pas développé l'habitude de l'épargne, vous jouez de malheur en ce qui concerne la possibilité de votre réussite financière.

Il ne peut être dommageable en rien de répéter – de fait, il faudrait que ce soit répété de nombreuses fois – **que le vrai début de presque toutes les fortunes, qu'elles soient petites ou grandes, provient du fait d'avoir intégré l'habitude de l'épargne.**

Imprégnez votre esprit de ce principe de base et ainsi vous serez sur la voie qui mène à l'indépendance financière.

Il est triste de voir une personne en âge avancé condamnée à la discipline épuisante du dur labeur quotidien faute d'avoir négligé d'épargner de l'argent lorsqu'elle était plus jeune. Et pourtant, il existe des millions d'hommes et de femmes, de tous les âges et genres, vivant aux États-Unis seulement dans cette fâcheuse position.

Le plus grand de tous les privilèges est assurément la liberté!

Il ne peut y avoir de réelle liberté sans un degré raisonnable d'indépendance financière. Être obligé de travailler dans un domaine plus ou moins agréable et ce, tous les jours de votre vie, limite votre liberté d'action. Un prisonnier est mieux traité, car il n'a pas à se loger, se nourrir ni se vêtir. Le seul espoir d'échapper à cette corvée à vie est de développer l'habitude de l'épargne et de la maintenir, quels que soient les sacrifices exigés. Il n'y a pas d'autre issue!

« Ne sois ni emprunteur, ni prêteur;

car le prêt fait souvent perdre argent et ami

et l'emprunt émousse l'économie.

Avant tout, sois loyal envers toi-même;

et aussi infailliblement que la nuit suit le jour,

tu ne pourras être déloyal envers personne. »

Shakespeare

LECTURES DE CROISSANCE PERSONNELLE

Vivre libre, sans peur! Le secret de Ben
(roman d'inspiration) *Mark Matteson*

Vivre libre, sans peur, pour toujours! Le cadeau de mariage
(roman d'inspiration) *Mark Matteson*

Votre plus grand pouvoir, *J. Martin Kohe*

La carte routière de VOTRE succès ! *John C. Maxwell*

Un système de succès infaillible ! *W. Clement Stone*

Croire et réussir – 17 principes de succès, *W. Clement Stone*

Réussir avec les autres, des relations humaines harmonieuses,
Cavett Robert

Les lois du succès, *Napoleon Hill (17 leçons en 4 tomes)*

La gratitude et VOS buts... pour créer la vie dont VOUS rêvez!
Stacey Grewal

Journal quotidien de gratitude, *Stacey Grewal*

Le coach, histoire personnelle de dépassement de soi
et enseignement de moyens pour se prendre en main, *Luc Courtemanche*

De l'or en barre, 52 lingots d'inspiration personnelle,
Napoleon Hill et Judith Williamson

Nos pensées, leur impact sur notre vie, *Agathe Raymond*

Doublez vos contacts, *Michael J. Durkin*

Prospectez avec Posture et Confiance, *Bob Burg*

Dans la collection **EXPÉRIENCE DE VIE :**
    Drogué... sans l'avoir demandé! *Suzanne Carpentier*
    Se choisir pour voyager léger, *Robert Savoie*
    Briser le silence, *Josée Amesse*
    S'aimer soi-même, 1, 2, 3, Go Action! *Johanne Fontaine*

Visitez souvent le site pour connaître nos nouveautés :
www.performance-edition.com

LES LOIS DU SUCCÈS
TOME 2

PLUS DE MILLE PAGES DE DYNAMITE MENTALE!
17 leçons en 4 tomes

*Le plus grand classique de tous les temps revisité pour chaque personne ayant à cœur de réussir **SA** vie et réussir **DANS** la vie!*

C'est en 1908 que Napoleon Hill a été approché par Andrew Carnegie. À la suite d'une entrevue dans le but d'écrire un article pour un magazine, M. Carnegie a offert à M. Hill de lui faire rencontrer les hommes les plus puissants de l'époque, et cela, dans le but de découvrir les secrets de leur succès. Une fois cette philosophie décrite bien clairement, elle pourrait être utilisée par tous ceux qui voulaient s'aider à créer leur propre réussite et réaliser leurs rêves.

En 1927, Napoleon Hill a finalement rassemblé tout ce qui allait devenir la toute première édition du livre Les Lois du Succès qui s'est vendu à des millions d'exemplaires, en de nombreuses langues, à l'échelle mondiale. Ses amis étaient des personnes accomplies : Andrew Carnegie, Henry Ford, Thomas A. Edison, Alexander Graham Bell, John D. Rockefeller, William Wrigley et d'autres, toutes des personnes parmi les plus prestigieuses de cette époque et qui sont restées des modèles pour notre époque. C'est en interviewant des centaines de personnes ayant réussi qu'il a colligé toutes les réponses afin de les offrir à ceux qui veulent prendre le même chemin.

LES 4 LEÇONS DU TOME 2 SONT : • L'initiative et le leadership • L'imagination
• L'enthousiasme • Le contrôle de soi

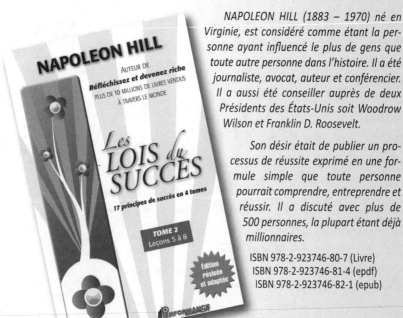

NAPOLEON HILL (1883 – 1970) né en Virginie, est considéré comme étant la personne ayant influencé le plus de gens que toute autre personne dans l'histoire. Il a été journaliste, avocat, auteur et conférencier. Il a aussi été conseiller auprès de deux Présidents des États-Unis soit Woodrow Wilson et Franklin D. Roosevelt.

Son désir était de publier un processus de réussite exprimé en une formule simple que toute personne pourrait comprendre, entreprendre et réussir. Il a discuté avec plus de 500 personnes, la plupart étant déjà millionnaires.

ISBN 978-2-923746-80-7 (Livre)
ISBN 978-2-923746-81-4 (epdf)
ISBN 978-2-923746-82-1 (epub)

www.performance-edition.com

VIVRE LIBRE, SANS PEUR ! Le secret de Ben

MARK MATTESON

Ces deux livres sont tout simplement remplis de bonnes idées pour lutter contre la peur et enrichir notre vie. Ces deux livres sont des romans d'inspiration et ils stimulent le lecteur à découvrir des vérités simples qui mènent à la richesse, à la joie et à la paix d'esprit.

Un accident d'auto à l'heure de pointe lors d'une chaude journée d'été n'est habituellement pas une expérience positive. Mais, lorsque David, déprimé et misérable, rencontre Ben suite à un accident de voitures plutôt désagréable, la toile de fond se prête bien pour raconter une expérience de vie riche et puissante. Involontairement, David se place entre les mains d'un maître motivateur et d'un ajusteur d'attitude. Au fur et à mesure que David commence à améliorer sa vision des choses et, par le fait même, sa vie, il découvre la multitude de moyens que Ben a utilisés pour aider un nombre incalculable de personnes.

Mettre en pratique les multiples enseignements que Ben prodigue si généreusement, aide à se libérer de toute forme de peur et d'être en paix avec sa vie personnelle, professionnelle et spirituelle.

ISBN 978-2-923746-44-9 (livre) • ISBN 78-2-923746-45-6 (epdf) • ISBN 978-2-923746-46-3 (epub)

VIVRE LIBRE, SANS PEUR, POUR TOUJOURS ! Le cadeau de mariage

La vie n'est pas juste. Pourquoi de mauvaises choses arrivent-elles à de bonnes personnes? Pourquoi de bonnes choses arrivent-elles à de mauvaises personnes? Chacun de nous, à différents moments de notre vie, avons besoin d'un coach ou d'un mentor. C'est ce que Ben était. Si vous êtes prêt et désireux d'apprendre, il vous enseignera et vous inspirera à retirer le maximum du reste de votre vie sur terre.

MARK MATTESON est conférencier, auteur et consultant à l'échelle internationale. Il est qualifié de raconteur d'histoires particulièrement doué, d'élève de la rue, de reporter d'idées et de conférencier humoriste. Il est auteur et conférencier. Mark Matteson inspire les gens, les organisations et les associations à fixer leurs buts de performance personnelle et professionnelle à un niveau plus élevé et à les atteindre.

ISBN 978-2-923746-13-05 (livre) •ISBN 978-2-923746-29-6 (epdf)
ISBN 978-2-923746-30-2 (epub)

www.performance-edition.com

Cascades
VERT DE NATURE™

| CALCULATEUR ENVIRONNEMENTAL

RAPPORT DÉTAILLÉ

Nom de l'entreprise : **Éditions Performance**

LISTE
des produits Cascades utilisés :

2 563 livre(s) de Rolland Enviro100 Edition
100 % post-consommation

Généré par : www.cascades.com/calculateur

Sources : Environmental Paper Network (EPN)
www.papercalculator.org

RÉSULTATS
Sauvegardes environnementales des produits
Cascades sélectionnés par rapport à la
moyenne de l'industrie pour des produits
vierges.

 22 arbres
1 terrain de tennis

 80 265 L d'eau
229 jours de consommation d'eau

 1 216 kg de déchets
25 poubelles

 3 160 kg CO$_2$
émissions de 1 voiture par année

 36 GJ
165 246 ampoules 60W pendant
une heure

 9 kg NOx
émissions d'un camion pendant 29
jours